boomerang

Catalogage avant publication de Bibliothèque et Archives nationales du Québec et Bibliothèque et Archives Canada

Addison, Marilou, 1979-

Capucine popstar

(Méga Toon)
Pour enfants de 8 ans et plus.
ISBN 978-2-89709-225-2

I. Titre.

PS8551.D336C36 2017   jC843'.6   C2017-941720-7
PS9551.D336C36 2017

© 2017 Boomerang éditeur jeunesse inc.

Auteure : Marilou Addison
Couverture : Richard Petit
Illustrations de l'intérieur : Manuella Côté
Mise en pages : Julie Deschênes

Dépôt légal — Bibliothèque et Archives nationales du Québec, 4e trimestre 2017

ISBN 978-2-89709-225-2

Gouvernement du Québec — Programme de crédit d'impôt pour l'édition de livres — Gestion SODEC

Boomerang éditeur jeunesse remercie la SODEC pour l'aide accordée à son programme éditorial.

Financé par le
gouvernement
du Canada

ASSOCIATION
NATIONALE
DES ÉDITEURS
DE LIVRES

LES FILLES

Mya

ma meilleure amie durant le concours

Bianca

alias Bibi

Kelly-Ann

un peu gothique

Emma-Lou

vraaaaaimerit belle

6

LES GARÇONS

LES GARÇONS

Chapitre

1

Les dés sont jetés

MEEEEEESDAMES ET MEEEEEESSIEURS !

Elle nous vient directement
de... de je ne sais où !
Mais peu importe l'endroit
où elle est née ! Elle n'a
que dix ans et pourtant,
c'est un talent à l'état brut !
Comme tous les autres
participants qui se sont
présentés devant vous ce
soir, elle a choisi le chant,
comme « champ »
de prédilection...

AH! AH! AH!

Oui, bon... Et elle est ici pour vous interpréter... euh... désolé, je ne parviens pas à lire ce qui est écrit. Bref, veuillez applaudir chaleureusement mademoiselle **CAAAPUUuCiiiiiiNE!!!**

Les lumières clignotent
à un rythme hallucinant
et me font presque mal
aux yeux ! Le présentateur,
le très connu Hugo Magnéto
(quel nom ridicule !), vient
à peine de crier mon nom
dans son énorme micro.

OU-A-CHE !
EN PLUS, iL
POSTiLLONNE
!!!

Mes jambes se mettent
à trembler, mes mains
deviennent moites et un mal
de cœur intense m'envahit.
Je ne vais pas y arriver !

Pourtant, je connais
ma chanson par cœur.
J'ai dû la répéter une bonne
cinquantaine de fois dans
la salle de bain, une brosse
à cheveux dans une main
(ouais, je sais, ça fait
un peu bébé, mais
mes parents refusent
de m'acheter un vrai micro).
Sauf que maintenant,
c'est pour vrai !

JE DOIS ME RESSAISIR !
ET TOUT DE SUITE !

Il ne sera pas dit que je vais flancher lors de cette seconde ronde des auditions. J'ai été choisie parmi plus de deux cents finalistes, je dois bien avoir un peu de talent !

NON ?

Je n'ai pas le temps de me questionner davantage que le régisseur du plateau surgit derrière moi et me pousse sans ménagement sur la scène. Mes dents s'entrechoquent fortement. Je m'approche du trépied sur lequel est posé le micro. Je le saisis d'une main et, de l'autre, je repousse ma tignasse.

Ça, c'était l'idée saugrenue de la coiffeuse, de les laisser flotter sur mes épaules. Moi, j'aime beaucoup mieux les attacher en une couette haute. En ce moment, je ressemble à une moppe ! Vraiment, c'est loin d'être une réussite !

RESPIRE, CAPUCINE, RESPIRE ! TU VAS ÊTRE CAPABLE, TU VAS ÊTRE CAPABLE !

Je me répète ce mantra
en fermant les yeux et
en inspirant un bon coup.
Puis, la musique démarre.
C'est bientôt mon tour,
je ne dois pas rater le début
de ma chanson. C'est
ma seule chance de faire
une bonne impression.

18

J'ai la bouche pâteuse
et pourtant, dès que
la musique s'infiltre dans
mes oreilles, j'oublie que
je suis devant une foule de...
(De combien de personnes,
déjà ? Je crois que je
préfère ne pas le savoir,
en fin de compte.) Que de
trop nombreux flashs me
mitraillent furieusement.
Que je n'ai que dix ans
et que je participe au
plus incroyable, au plus
merveilleux, au plus fou
des concours de téléréalité
jamais créés :

Les Stars

OUI !!! J'ai une chance
sur dix de devenir une
mégastar internationale !
Et je compte bien sauter
sur cette occasion.

En tout cas, ça, c'est si
je parviens d'abord à chanter
correctement... Et rien n'est
moins certain, si j'en juge
par le trémolo maladroit qui
me surprend, quand j'ouvre

la bouche pour lancer
quelques notes. Oh non !
Terminée, ma carrière
de grande chanteuse !
Finis, mes rêves de célébrité
et de reconnaissance !

Bon, comme dirait mon prof
de chant, il ne faut pas
se décourager. Je dois me
retrousser les manches et
ne pas me laisser abattre.
Je peux y arriver ! Cette
chanson, je la connais sur
le bout de... de la langue !
En fait, je suis tellement
habituée de l'interpréter

que je pourrais la chanter
les yeux fermés ! Oh, voilà...
Je viens de trouver la
solution à mes angoisses.
Je peux très bien le faire
sans regarder les milliers
de spectateurs qui me
dévisagent. Rien de
plus simple !

Je ferme alors les yeux
et m'exécute d'une voix
beaucoup plus sûre.
J'ai enfin retrouvé
mon sang-froid habituel.
Je chante et plus rien
ne me déconcentre.
Ni les applaudissements,
lorsque je réussis à monter
la note, ni même l'étrange
calme qui envahit la foule
lorsque je termine cette
chanson en beauté, en
retenant ma respiration,
pour mieux faire sortir
ma voix.

Mais le silence se prolonge. Incertaine, j'ouvre un œil, et c'est à ce moment que je remarque que la salle entière se lève pour me signifier que je viens de faire une prestation impressionnante, en applaudissant à tout rompre ! Je souris malgré moi de toutes mes dents et je me tourne vers un des techniciens de son, caché dans les coulisses. Celui-ci lève le pouce dans ma direction pour me confirmer que tout s'est bien déroulé.

OUI!
J'AI RÉUSSI!

Moi, Capucine Archambault,
je viens de chanter devant
une salle entière !
Des applaudissements
explosent pour me confirmer
ce que j'ose à peine imaginer.

Je suis aux anges.
Et je n'ai plus du tout
le goût de quitter le plateau.
Je fais des pirouettes sur
moi-même, je me plie en

deux pour remercier les gens, je sautille sur un pied, puis sur l'autre. J'ignore souverainement le régisseur, qui essaie de me faire comprendre que c'est le temps de revenir en coulisse. Mais pas moyen que je l'écoute.

C'est mon heure de GLOIRE.

Je jette un coup d'œil
aux premières rangées, où
les familles des participants
sont assises, et j'essaie de
voir où se trouve la place
de mes parents et de ma
meilleure amie, Clara.
Je m'approche un peu
du bord et place ma main
au-dessus de mes yeux
pour les protéger de
l'éclairage éblouissant.
Malheureusement, avec
ma maladresse naturelle,
je m'enfarge dans le fil
de mon micro et je tombe
tête première sur la rangée

des spectateurs. Ceux-ci n'avaient visiblement pas prévu de recevoir mes fesses en plein visage, alors que j'essaie de me relever.

Ça crie, ça s'excite sous moi, tandis que je meurs de honte. Les larmes me montent aux yeux. Je me redresse enfin, en prenant soin de vérifier si je me suis blessée. Mais tout va bien, je n'ai mal nulle part.

SAUF À MON ORGUEIL...

Chapitre 2

Sauvée par... Hugo Magnéto !

Heureusement,
c'est ce moment qu'Hugo
Magnéto choisit pour
revenir en vitesse sur scène
et essayer de distraire
la foule, qui ne comprend
pas ce qui se passe. Il fait
des blagues, il rigole sur
mon compte et ne se gêne
pas pour dire à tout le
monde à quel point je suis
maladroite. Mes joues sont
si rouges qu'elles doivent
être de la même couleur que
la chemise de l'animateur !

SI JE LE POUVAIS, JE L'ÉTRIPERAIS, CE PRÉSENTATEUR À LA NOIX !

– Bon... Eh bien, pendant que mademoiselle Capucine essaie de remonter sur scène, je vais en profiter pour expliquer à ceux et celles qui viendraient de se joindre à nous en quoi consiste cet époustouflant concours !

L'animateur reprend à peine son souffle qu'il recommence de plus belle.

— Ils seront cinq filles et cinq garçons, sélectionnés par vous, cher public ! Ayant choisi le chant depuis leur plus tendre enfance, ces jeunes au talent indéniable vous éblouiront par leurs performances et cela, tous les soirs de la semaine ! Vous devrez ensuite attribuer des notes à chacun des concurrents. Et à la fin de ce fantastique parcours,

soit dans une semaine,
le participant qui aura
accumulé le plus de points
sera déclaré grand gagnant
du concours des STARS !

N'EST-CE PAS INCROYABLE ?!

Durant tout son monologue,
je cherche des yeux les
marches qui me permettront
de remonter sur scène, mais
aucune trace de celles-ci.

Alors... Heu...
Capucine, après une
TELLE PERFORMANCE,
que diriez-vous de venir
me rejoindre sur
le plateau ?

BANJO... S'il pense que
c'est évident de se repérer
dans le noir le plus total.
N'y tenant plus, je me hisse
sur la pointe des pieds
(c'est que je ne suis pas très

grande, moi !) et j'essaie
tant bien que mal de grimper
sur la scène en collant
mon ventre au sol, comme
lorsque je veux sortir de la
piscine sans emprunter les
marches. Quelle image je
dois donner aux spectateurs
des premières rangées ! Et en
plus, il fallait que je décide
de porter une jupe courte !

BRAVO, CAPUCINE !
OUI, ENCORE
BRAVO !

Une fois que tout le monde a bien pu observer mes sous-vêtements **(LA HONTE!)**, je parviens à me relever. Je marche péniblement jusqu'à l'animateur du spectacle, le cœur en peine. Cette fois, c'est certain, personne ne va voter pour moi afin que je remporte ce premier défi! Et moi qui me faisais une joie de rencontrer les autres finalistes, de vivre dans ce grand manoir durant les prochains jours, d'apprendre des tas

de trucs pour mieux devenir
une star en compagnie
des meilleurs profs du pays !
Mais non, il fallait que
je fasse encore une gaffe !
Je suis si maladroite. Je vais
vraiment devoir régler ce
gros défaut, si je veux arriver
à quelque chose dans la vie !
Je remarque alors qu'un
rire parcourt l'assistance.
BON ! Tout le monde se
moque de moi, maintenant !
Mais le présentateur a
un grand sourire quand il
m'accueille enfin à ses côtés.

CAPUCINE !
VOUS VOILÀ !

Eh bien, je pense que vous allez être contente d'apprendre que je viens à l'instant de recevoir le résultat du vote du public. Oui... Mesdames et messieurs, sans plus attendre, je vous annonce que notre malhabile petite chanteuse vient **D'ÊTRE SAUVÉE !**

TOUTES MES FÉLICITATIONS ! LE PUBLIC VOUS AIME !

Et il tend le micro loin
devant lui, alors que la foule
applaudit à tout rompre
et me siffle. Moi, je suis
sous le choc. J'ai la bouche
grande ouverte et j'ai l'air
totalement folle ! Mais ce
n'est pas grave, parce que...

JE SUIS SAUVÉE !
JE SUIS SAUVÉE !

Je vais pouvoir participer à cette toute nouvelle téléréalité ! Clara va être si fière de moi ! Sa meilleure amie qui va participer au concours **LE PLUS IMPORTANT** jamais créé pour les jeunes !

Je... Je... Je suis sans voix, vraiment, et je souris bêtement, alors que le présentateur enchaîne :

Capucine Archambault, vous faites donc **OFFICIELLEMENT** partie des **DIX FINALISTES** à pouvoir entrer dans **LE MANOIR DES STARS !** Vous y resterez durant les sept prochains jours et vous aurez la chance de suivre des cours de chant, de danse, de théâtre et de diction.

Et ce n'est pas

TOUUUUUT !
NOOOOON !

En compagnie de neuf
autres chanceux, vous
serez filmée vingt-quatre
heures sur vingt-quatre,
sans **AUCUN** moment
de répit ! Tout le Québec
connaîtra votre visage !
Votre nom sera sur toutes
les lèvres ! Mieux encore :
vous serez peut-être
LA grande gagnante
de ce concours !
Et que gagnerez-vous,
me demanderez-vous ?

La seule chose que
je commence à me demander,
c'est s'il va reprendre
son souffle, à un moment
donné... Mais il continue
sur sa lancée, sans même
prendre la peine de respirer.

La chance de faire une tournée à travers **TOUUUUUT** le Québec ! **OUUUUUUi !** **TOUUUUUUUUUT** le Québec ! Est-ce tout, vous exclamerez-vous ? **NOOOOON !** En plus de la bourse, vous aurez le privilège de bénéficier de l'expertise de notre équipe afin de créer votre propre disque ! **OUUUUi !** Votre propre disque ! Comment vous sentez-vous, **CAPUCINE ?**

Et il me balance le micro
juste au niveau du front.
Il ne doit pas avoir remarqué
que je suis si petite !
J'aurais dû mettre mes
talons, comme je le voulais
au départ, et non suivre
les conseils de Clara...

– **EUH...**, que je parviens
tout de même à bredouiller,
en tentant d'agripper
le micro pour le baisser
vers ma bouche.

— Oh, on me signale à l'instant que c'est tout le temps que nous avions ! Encore une fois, chers téléspectateurs, vous venez d'assister à un spectacle **FOOOOOOORMIDABLE !** Et ce n'est pas le dernier ! Retrouvez-nous dès demain sur la chaîne Télé1, où vous pourrez suivre le parcours des participants, à partir de dix-huit heures. Si vous ne pouvez pas attendre plus longtemps, un forfait vous est offert sur notre site Internet, dont l'adresse

défile présentement au bas
de votre écran.

Il fait alors un drôle de geste,
mimant un hypothétique lien
Internet.

— Vous pourrez surveiller nos
stars à chaque heure du jour
et de la nuit ! reprend-il
d'une voix surexcitée.
Sur ce... Je vous souhaite
une bonne fin de soirée
et surtout, n'oubliez
pas cette maxime bien
connue, et c'est Hugo
Magnéto qui vous le dit :

AU FOND DE CHACUN D'ENTRE NOUS SOMMEILLE UNE FUTURE STAR! MERCI! MERCI! MERCI!

OUF... Il me donne le tournis, cet animateur... J'envoie gauchement la main à la foule en délire, tandis que le présentateur me donne de petites tapes dans le dos pour que je quitte le

plateau. **PEU IMPORTE.**
En ce moment, je suis
aux anges. Tout ce que
mon cerveau parvient à
enregistrer des précédents
événements, alors qu'on
me dirige vers une énorme
limousine noire, décorée
de multiples petites perles
de diamant (ça doit être
du toc...), c'est que...

J'AI RÉUSSI!
J'AI RÉUSSI!
JE VAIS DEVENIR
UNE STAR!

Chapitre 3

Le bébé du groupe

Poussée par divers
techniciens qui ont hâte
que je parte (il faut croire),
je tombe tête première dans
la limousine, les jambes de
nouveau en l'air. Je vous
laisse deviner ce que
les gens derrière moi
peuvent observer,
la jupe ainsi relevée.

SOUPiR...

Je réussis malgré tout à
retrouver le peu d'orgueil
qu'il me reste pour me glisser
sur la banquette arrière.

Là, quatre paires d'yeux outrageusement maquillés se tournent dans ma direction et me dévisagent sans dire un mot. J'avale difficilement ma salive. J'avais pensé à tout, sauf à la concurrence...

Puis, une des filles dont le regard est ultra sombre, souligné par de larges lignes noires, me fait un magnifique sourire.

Salut ! Moi, c'est Kelly-Ann ! Alors... tu es la dernière concurrente à te joindre à nous ? **JE TE SOUHAITE LA BIENVENUE.**

Elle a l'air sympathique et je me détends un peu. Comme je suis assise juste devant elle, je peux la détailler à ma guise sans avoir l'air trop curieuse.

Tous les vêtements que porte
Kelly-Ann sont dans la même
teinte : noire ! Avec ses yeux
charbonneux, ça lui donne
un look gothique qui lui va
très bien, en fait.

Elle tient quelque chose
dans ses mains et je dois
me pencher subtilement vers
elle pour voir ce que c'est : un
cellulaire ! OK, normalement,
ce ne serait pas bien grave.
MAIS LÀ, OUI !
C'est qu'un des règlements
principaux de notre retraite
de sept jours est de

NE PAS apporter son cellulaire là-bas ! Je ne sais pas trop si je dois m'en mêler ou pas. Après tout, je ne vais pas jouer à la police ici. Kelly-Ann se fera bien avertir par les organisateurs à un moment donné.

Une seconde voix me tire brusquement de mes pensées.

Bon, puisqu'il faut se présenter soi-même...
MOI, C'EST BIANCA !
Tu as vraiment une bonne capacité pulmonaire, tu sais !

– Heu... ouais, que je bafouille, impressionnée par l'attitude un peu agressive de cette autre fille.

– Est-ce que tu sais jouer
de la guit ?

– De la gu... guit ?

Elle lâche un énorme soupir,
avant de m'expliquer.

– **BEN OUI,** de la guit !
De la guitare, **QUOI !**

Je secoue la tête,
prise de court.

– Du drum ?

Encore non.

– De la basse ? Du violon ?
AHHH, je ne sais pas moi,
du triangle, d'abord !

Mais je réponds toujours par
la négative, ce qui semble
la mettre de plus en plus
en rogne. Je ne sais pas
quoi faire, si ce n'est fondre
sur moi-même. Je jette
un coup d'œil aux autres
filles, qui nous ignorent
souverainement. Kelly-Ann,
replongée dans ses envois
de textos, affiche pourtant
un petit sourire, mais
je ne pourrais dire si

c'est à cause de notre conversation ou à cause des messages qu'elle écrit. Bianca reprend aussitôt, sidérée par mes réponses.

BEN ALORS, qu'est-ce que tu sais faire ?

Heu... je chante, VOILÀ.

— Tu chantes... Nous aussi, on chante ! Tout le monde chante, ici. Mais si tu veux avoir une chance de te démarquer, il faudrait te trouver un talent particulier, **NON ?**

Elle a les sourcils en points d'exclamation et son visage, forcément joli sans tout ce maquillage, se contracte sous l'effort. C'est quoi son problème, à elle ? Ben oui, je chante, et alors ? Et je chante très bien, d'ailleurs ! Je m'apprête à le lui dire,

quand une autre fille lance
cette phrase qui me surprend
et me laisse sans voix.

– Bibi, laisse tomber.
Tu vois bien que tu lui fais
peur. Elle tremble de partout,
la pauvre petite. Dis-moi,
tu as quel âge, ma belle ?

Non mais elle me prend pour
un bébé, ou quoi ? Je suis
peut-être petite, c'est vrai,
mais j'ai sûrement le même
âge que toutes les autres !
Je vais lui dire ma façon
de penser, à cette… à cette…

– Je... je... j'ai dix ans,
tu sauras ! que je lance
d'une voix fluette.

La fille hoche la tête et fait
un petit sourire compatissant.

Ne te fâche pas, mais... Tu es la plus jeune, ici. Bibi a douze ans, tout comme Kelly-Ann. Moi, **OH, EN PASSANT**, je m'appelle Emma-Lou, j'ai onze ans et demi, et Mya, qui dort déjà, elle aura douze ans dans un mois. Mais ce n'est pas grave, tu fais partie de la gang quand même, tu sais...

J'avale difficilement ma salive. Je suis bel et bien le bébé... **AH, BANJO!** (Ouais, je sais, drôle d'expression, mais bon...) Le concours disait pourtant que les participants devaient avoir de dix à douze ans pour pouvoir s'inscrire. Je ne croyais pas être la seule aussi jeune! Quoique, lorsque j'observe toutes ces filles assises près de moi, je vois bien qu'elles sont plus... matures, disons. Elles sont toutes beaucoup plus grandes que moi.

Mais dans mon cas,
c'est génétique, je vais
rester **COMME ÇA**.
Je ressemble à ma mère,
qui ne mesure pas plus
de un mètre cinquante.

Même Mya, toujours
endormie, me paraît
beaucoup plus âgée que moi.
Elle a des jambes si longues
que celles-ci sont coincées
entre les banquettes.

HUM... Je dois revenir sur
terre et ne plus penser à tous
ces détails.

Je ferme les yeux et tente
de me calmer un peu.
Ce n'est pas difficile, car
je suis vraiment épuisée.
La journée a été longue !
J'ai dû me rendre au studio
tôt ce matin, me faire jouer

dans les cheveux par les coiffeuses (qui m'ont fait cette coupe **AFFREUSE**, soit dit en passant...) et me faire peinturer le visage par les maquilleuses, me changer et enfiler les vêtements que j'avais choisis exprès pour le spectacle. Faire deux répétitions et surtout, attendre...

Attendre que la scène soit installée, que l'éclairage soit à point et, finalement,

que l'animateur vedette
(le très connu Hugo Magnéto
– non, mais vraiment, quel
surnom **iDiOT**, d'ailleurs !)
daigne enfin se présenter.
Il se donne des airs supérieurs,
celui-là. Sans compter qu'il
est loin d'être aussi agréable
en coulisse que sur scène !
Bref, je donnerais n'importe
quoi pour avoir un oreiller
de caché dans mes poches,
afin d'y poser la tête...

Chapitre 4

Le manoir des stars

La limousine s'arrête brusquement, ce qui me fait sursauter. J'essaie de jeter un coup d'œil à l'extérieur, mais il fait si noir que je ne distingue pas grand-chose. Je n'ai aucune idée de l'endroit où se situe le manoir où nous allons loger durant les prochains jours. Les producteurs de l'émission ont préféré garder cette information cachée, pour que nous ne soyons pas assaillies par les multiples fans que nous ne manquerons pas d'avoir...

Ouais, je sais, je rêve en couleurs. Je me vois déjà sur le tapis rouge, portant une superbe robe blanche scintillante drapée au dos. Des photographes dans tous les coins qui surveillent mes moindres gestes et, surtout, le plus beau gars de l'école accroché à mon bras...

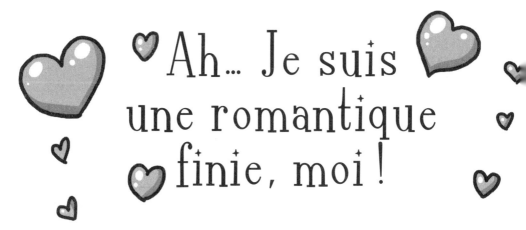

Ah... Je suis une romantique finie, moi !

Je suis tirée de ma rêverie
par la portière qui s'ouvre,
ainsi que par Bianca, alias
Bibi, qui me marche dessus
pour sortir de la voiture.
Kelly-Ann, devant moi,
range son cellulaire et me
fait un clin d'œil, avant
de se glisser à l'extérieur
à son tour. Je me dépêche
de les suivre, pour ne pas
être la dernière à sortir.
Les deux autres jeunes filles
émergent de la voiture,
Mya en dernier. Elle étouffe
à peine un bâillement, avant

de me jeter un coup d'œil
surpris.

Elle est encore plus grande
que je ne l'avais d'abord cru.
En fait, elle l'est tellement
que je dois lever le menton

pour la regarder dans
les yeux. Et pourtant,
elle ne porte pas de talons
hauts. Plutôt des ballerines
qui donnent l'impression
qu'elle doit chausser du
onze ou du douze. **WOW**,
avec mes pieds minuscules,
je n'ai aucune chance de
compétitionner avec elle...

Je prends quand même
mon courage à deux mains
pour lui demander, alors
que les caméramans
se préparent à filmer
notre entrée sur le site :

— Moi, c'est **CAPUCINE**. Quel genre de musique tu chantes ?

— **DE TOUT**. Tu n'as pas vu mon numéro ? Moi j'ai manqué le tien, en tout cas. Je dormais, je crois. Qu'est-ce que tu as fait ?

— Une chanson que j'ai écrite moi-même. Et non, je n'ai pas eu le temps de regarder la performance des autres. J'étais trop occupée à me faire coiffer et maquiller. D'ailleurs, j'ai juste une envie, c'est d'aller prendre une bonne douche !

— Je te comprends !
Moi non plus, je n'aime pas trop le maquillage.

Une voix s'élève tout près de nous et le silence se fait entre les participantes.

Mesdemoiselles, je suis **TRÈS HEUREUX** de vous accueillir dans ce qui sera votre demeure pour la prochaine semaine. Ici, vous serez très bien traitées et si vous avez **LA MOINDRE QUESTION** ou demande, n'hésitez pas à venir me voir, je serai à votre entière disposition. Je m'appelle Henry, avec un « h » et un « y », et je serai votre... **NOUNOU !**

— Eh oui…, lâche-t-il, alors que quelques rires retentissent parmi nous. Bon, reprend-il sans se vexer. Vous allez bientôt rencontrer les participants masculins, qui sont déjà dans le hall d'entrée. Les caméras captent présentement leurs réactions. Ce sera à votre tour dès que le régisseur nous fera signe. J'espère que vous vous habituerez vite à toute cette technologie qui vous entoure et que vous pourrez interagir normalement. Oh, on me

fait signe que vous pouvez
entrer. Bienvenue chez vous,
mesdemoiselles...

Avec un sourire charmeur,
notre future « nounou »
se tasse et nous indique
un petit chemin de pierre
que nous devons gravir
pour nous rendre jusqu'à la
porte principale du manoir.
De simples lampes solaires
éclairent notre parcours,
de telle sorte que nous ne
pouvons pas distinguer
l'étendue de la bâtisse.
Je passe derrière Mya,

qui a pris la tête de notre
petit groupe. Kelly-Ann,
plus relax, ferme la marche.
Bianca et Emma-Lou rigolent
comme des gamines (et c'est
moi qu'on traite de bébé...)
alors que je garde le silence,
impressionnée par les lieux.

89

Nous débouchons finalement sur un large portail grand ouvert. À l'intérieur se dessine la silhouette de cinq garçons, qui jasent entre eux. Un éclairage plus intense nous permet de bien voir leurs visages. Un homme en complet se tient à l'écart, en attendant de voir nos réactions. Puis, il s'avance vers nous et prend la parole. Sa voix est monocorde et me fait penser à celle d'un robot.

BONJOUR,
TOUS ET TOUTES.

Vous voici dans le manoir des stars. Ce soir, nous vous invitons à vous installer simplement dans vos appartements. Dès demain matin, à huit heures, les cours débuteront. J'espère que vous arriverez à dormir... Vous rencontrerez alors vos professeurs. **JE SUIS ANTON**, votre maître de diction.

— Peu importe votre talent
en tant que chanteur ou
chanteuse, vous devrez
tous être capables de
parler à la presse ou faire
des entrevues. Il est donc
indispensable de vous
enseigner ce que devrait
être une bonne élocution.
Un horaire de la journée
de demain sera affiché sur
le babillard, dans l'aire
centrale. Avant de vous
laisser partir vers vos
appartements, j'aimerais
que vous preniez le temps
de vous présenter chacun

votre tour. Messieurs, nous commencerons par vous. Déclinez votre nom et votre âge, s'il vous plaît.

Mon âge... **OH NON !** En apprenant que je suis la plus jeune, les autres risquent de rire de moi.

À tour de rôle, les garçons se nomment. Il y a William, Thomas, Émile, Léo et Félix, je crois. Mais j'arrive à peine à voir leur visage, car Emma-Lou s'est glissée aux premiers rangs et me cache la vue. Elle bouge drôlement des épaules et passe sans cesse la main dans ses cheveux, qu'elle a blonds et merveilleusement ondulés.

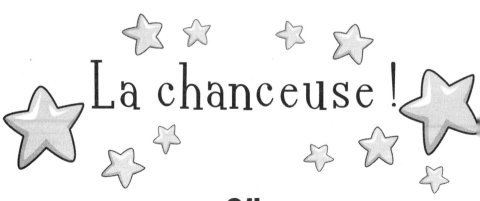

La chanceuse !

Après que les filles
se sont nommées à
leur tour, Anton reprend
la parole.

— Ce sera tout pour ce soir.
Henry va se faire un plaisir
de conduire les demoiselles
à leurs appartements.
Pour les garçons, veuillez
me suivre, que je vous
indique le chemin.

Il tourne aussitôt les talons
et se dirige vers un long
corridor, éclairé par des
chandeliers accrochés aux

murs. C'est à peine si je remarque que certains des adolescents sont mignons, qu'ils sont déjà partis... Plusieurs d'entre eux nous jettent tout de même des regards en coin, avant de disparaître. Je bâille et j'attends qu'Henry nous désigne l'endroit où aller.

Ce dernier s'approche
et nous fait un clin d'œil
(il a vraiment l'air gentil),
accompagné d'un sourire
franc. Il doit avoir le même
âge que mon père. Ça me
rassure, cette présence
paternelle parmi nous.
Les filles ont peut-être
raison : après tout, je suis
la plus jeune et je me sens
toute petite, parmi elles.

Nous traversons un long
corridor, à l'opposé de
celui que les garçons ont

emprunté, pour aboutir
dans une vaste pièce,
fermée par deux larges
portes. Devant nous s'étalent
cinq très graaaands lits
(je vais me perdre,
là-dedans). Et comble de
joie, les valises de chacune
sont posées sur les matelas.
Je me dirige aussitôt vers
le lit qui semble m'avoir été
assigné et y repousse
mes bagages, afin de
m'y coucher de tout
mon long. Je voudrais
dormir, là, tout de suite !

Mais je dois encore aller me débarbouiller. Je me relève donc lentement et je commence à fouiller dans un de mes sacs, tout en jetant un coup d'œil à droite et à gauche. La pièce est vraiment immense et j'ai la chance d'être juste à côté du lit de Mya. Celle-ci s'est aussitôt enveloppée dans ses draps, retombant dans le sommeil qu'elle avait dû quitter, quelques minutes plus tôt. Dans mon cas, il n'est pas question que je ne passe pas sous la douche.

J'ai la peau si sensible
que je ferais des plaques
rouges le temps de claquer
des doigts.

Je ramasse mon pyjama
et ma brosse à cheveux,
puis je me dirige vers ce
qui ressemble à une salle
de bain. En poussant la
porte vitrée, je constate
avec ravissement qu'il y a
plusieurs cabines de douche
et que je n'aurai pas à
attendre mon tour. Dès que
j'ouvre le jet d'eau et que
celle-ci coule sur mon corps,

un bien-être total m'envahit.
Je ferme les yeux (encore !)
et je me remets à rêver
à ma future carrière...

Chapitre

5

Réveil difficile

– Tu en veux un bol ?

L'odeur sucrée des céréales
zéro santé et cent pour cent
chimiques me lève le cœur
et me fait péniblement ouvrir
les yeux. Ce que j'aperçois
est plutôt flou, tellement
c'est proche de mon visage.
Le bol est mauve et un peu
de lait vient de tomber sur
mes couvertures.

Je déteste les céréales
qui ressemblent davantage
à des bonbons qu'à autre
chose! Comment cette fille
peut-elle en manger aussi tôt
sans que ça lui lève le cœur?
D'ailleurs, quelle heure
peut-il bien être?

Je m'étire paresseusement,
mais Mya (car c'est bien
elle qui vient de me réveiller)
s'éloigne et me jette
un oreiller sur le nez,
avant de me lancer:

– Allez, dépêche ! Tu vas
nous mettre en retard
à notre premier cours !
Il ne reste que quinze minutes
pour s'y rendre et on ne sait
même pas c'est où !

GROUILLE-TOI
ET SORS DU LIT !

Puis, elle disparaît de mon
champ de vision en claquant
la porte des toilettes, tout
en semant des gouttes de
lait derrière elle. Bon, ça
commence mal, moi qui adore
faire la grasse matinée.

Je vais devoir me secouer les neurones et essayer de me préparer en moins de dix minutes.

Mon rêve se trouve juste au bout du tunnel, ce n'est pas le temps de flancher.

Qu'est-ce que me disaient mes parents, hier, en me faisant leurs adieux, avant d'aller s'asseoir dans la salle, déjà ? Ah oui : je peux tout faire, il suffit juste d'y croire très fort. Malheureusement, en ce moment, même si j'y crois très fort, ça ne me fera pas aller plus vite. Il va aussi falloir que j'y mette un peu du mien.

Je repousse vivement
les couvertures de mon lit
et saute sur ma valise,
que je n'ai pas pris le temps
de défaire, hier soir, avant
de m'écrouler de fatigue.
Il ne reste plus personne
dans la chambre, donc
les autres filles ont réussi
à se lever à temps.
Comment ont-elles fait ?

Mya revient dans la pièce,
une brosse à dents dans
la bouche, de la pâte

débordant de celle-ci,
en me lançant un regard
exténué :

111

Elle me montre son cellulaire, qu'elle tient dans son autre main, en levant les yeux au ciel, pour que j'y aperçoive l'heure.

Elle aussi l'a apporté !
Suis-je donc **LA SEULE**
à suivre les règles, par ici ???
Par chance, il n'y a pas de
caméras dans les chambres,
pour que nous puissions
avoir un peu d'intimité.
Mya ne risque donc pas
de se le faire confisquer.

Toutefois, sur celui-ci,
on peut très bien voir
les secondes qui s'écoulent.
Oups, je dois accélérer
le rythme ! Alors... qu'est-ce
que je vais mettre ?

Je choisis la première chose qui me tombe sous la main. À savoir : une robe. Après tout, si nous sommes filmés à notre insu, je dois être sur mon trente-six en tout temps ! J'enfile donc le vêtement à la vitesse de la lumière et je me dépêche de dénicher une paire de ballerines. Les talons, très peu pour moi. Je suis tellement maladroite que ce serait un désastre assuré.

Ma voisine de lit réapparaît enfin et me jette un long regard, pas sûre du tout que j'aie fait un bon choix vestimentaire, mais elle ne commente pas.
Elle n'a pas à parler, elle, avec ses pantalons de jogging, son t-shirt qui semble avoir survécu à la Première Guerre mondiale et ses espadrilles usées ! Oui, j'ai compris, c'est une sportive dans l'âme, mais tout de même, elle aurait

pu faire un effort. On va
passer à la télé, j'espère
qu'elle ne l'a pas oublié !
Pour couronner le tout,
elle attache ses cheveux en
queue de cheval bien haute
sur le sommet de son crâne.

— Bon, t'es prête ? On y va,
maintenant ! me dit Mya
en passant en coup de vent
devant moi.

BANJO ! Je n'ai même
pas eu le temps d'aller
au petit coin. Pas grave,

je demanderai la permission
d'y aller durant le cours.
Je trottine derrière Mya
le plus vite que je le peux.
C'est loin d'être évident.
Elle a de si longues jambes
et moi… de si minuscules !
D'ailleurs, comment est-ce
qu'elle parvient à se repérer,
à travers tous ces couloirs
qui me font penser à un
labyrinthe ? Heureusement,
après avoir dépassé le hall
d'entrée, nous croisons
Henry, qui nous attend
patiemment.

> Bonjour, mesdemoiselles. Je crois que vous êtes légèrement en retard, **NON ?**

Je hoche la tête, tandis que Mya fait une grimace.

— Ce n'est pas bien grave, mais je vous conseille de vous dépêcher. Votre professeur n'aime pas trop attendre…

Vous allez pouvoir vous rendre au cours en prenant ce couloir. Ah, et Capucine... ? Tu es certaine d'avoir choisi les bons vêtements ?

– Heu... Oui, que je réponds simplement, en me demandant quel est le problème avec ce que j'ai enfilé ce matin.

Non mais, c'est vrai. On dirait que personne n'apprécie mon look, aujourd'hui ! Je rumine en silence, tout en marchant vers l'endroit désigné par Henry. Après au moins cinq minutes, j'ose enfin demander à Mya si elle croit que nous sommes perdues.

— Pourtant, Henry nous a bien dit d'aller par là…, me répond-elle, incertaine. Bon, viens, on va revenir sur nos pas et on va lui demander de nous guider jusqu'à notre classe, OK ?

– Moi, je te suis.
Mais si jamais on croise
les toilettes en chemin...,
dis-je en me tortillant.

Cette fois,
nous allons
vraiment être
en retard !
Découragée,
je tente de presser
le pas, quand des murmures
nous parviennent enfin.

– Mya, on dirait... Suis-moi,
je crois reconnaître des voix.

Je bifurque vers un autre couloir, suivie de ma compagne qui semble hésitante.

— Tu es sûre ? Henry ne nous a pas… Oh, tu as raison, c'est ici ! Nous sommes arrivées ! lâche Mya en me faisant un large sourire, avant de pousser une porte donnant sur…

LE COURS SE
DÉROULERA
DANS UN
GYMNASE !
ET JE SUIS LOIN
D'ÊTRE HABILLÉE
POUR ÇA,
MOI
!!!

Chapitre 6

Le premier cours... DE GYM !

À l'intérieur, je note aussitôt que les trois autres filles ainsi que quatre des garçons que nous avons rapidement rencontrés, hier soir, sont en train de courir. Quelques têtes se tournent vers nous et je pense que je pourrais fondre sur place, si un sursaut d'orgueil ne me gardait pas debout.

Je suis là, les bras ballants,
à me demander pourquoi
je n'ai pas regardé l'horaire
des cours, avant de m'habiller
à la dernière mode !

UNE SÉANCE DE GYM ! AÏE !

Une chance que je n'ai pas
mis de souliers à talons !
Mya m'abandonne et va
rejoindre le professeur,
un homme à la carrure

d'athlète olympique, qui
la salue d'un geste de
la tête. Je me dépêche
d'arriver à leur hauteur pour
me présenter à mon tour.

— Donc, vous êtes Mya
et Capucine, c'est ça ?
Moi, c'est monsieur Éric.
Et je tiens à vous le dire tout
de suite, mesdemoiselles...
À l'avenir, je ne tolérerai
aucun autre retard du genre.
Vous débuterez en vous
réchauffant durant cinq
minutes. Course à pied
à travers le gymnase.

ALLEZ HOP, LES FILLES! UN PEU DE TONUS!

Mya rattrape aussitôt les autres tandis que moi, je me dandine sur place. Le professeur me jette un regard impatient, se demandant ce que je lui veux encore.

— Euh... monsieur... Est-ce que je pourrais aller aux toilettes, s'il vous plaît ? J'ai vraiment très envie de... Enfin, il faut que j'y aille.

Il fronce les sourcils et me regarde droit dans les yeux avant de se pencher vers moi pour me répondre.

— Désolé, petite demoiselle, mais tu as eu tout le temps nécessaire pour te bichonner avant de venir ici. Maintenant, dépêche-toi d'aller rejoindre les autres, si tu ne veux pas que je te demande de faire vingt push-up ! **ALLEZ HOP !** me lance-t-il, en me chassant d'un geste de la main.

OH NON !

Je vais faire comment, moi, pour passer à travers un cours (de gym !) sans pouvoir soulager ma vessie ? Je ronchonne intérieurement, mais je ne rajoute rien, car je me rends soudain compte que deux caméras, postées à chaque extrémité de la pièce, me fixent.

Ma réaction va se retrouver sur tous les écrans de la province, alors autant faire profil bas. Je relève la tête et commence lentement à jogger, en espérant que je serai capable de terminer ce cours sans mouiller ma culotte...

J'essaie de suivre le rythme des autres, mais ils vont tous beaucoup trop vite pour moi, autant les filles que les garçons. Ils me jettent d'ailleurs des regards interrogatifs dès qu'ils me dépassent. L'un d'eux arrive à ma hauteur et ralentit sa course, pour s'ajuster à mon pas. C'est très gentil de sa part et je m'empresse de lui sourire. Il a de longues jambes et des bras plutôt musclés. Il semble être vraiment sportif.

Je ne peux m'empêcher
de faire la grimace.
J'espère qu'il ne me parle pas
seulement pour rire de moi !

NON, NON...
En fait, je peux bien
te le dire, je me suis levée
en retard et je n'ai pas
pris le temps de regarder
l'horaire de la journée.

— **HUM...** Alors tu ne sais pas qu'on a le cours de diction, juste après celui-ci, j'imagine ?

— Le cours d'Anton ?
Le prof qu'on a rencontré hier, dans le hall d'entrée ?

Il hoche la tête, pas le moins du monde essoufflé par notre course. Moi, je n'en mène pas large, je dois bien l'avouer. Tellement, en fait, que je commence à ressentir une douleur sourde dans le bas du ventre. Comme

je pose les mains à
cet endroit, Léo me jette
un regard en coin avant
de me suggérer :

— Si tu ne te sens pas bien,
va faire une pause avec
Émile. Il est là, près du mur.

— Pourquoi il ne court pas,
lui ? Et pourquoi il a une
chaise juste pour lui ?

Dès que je pose cette
question, je ressens aussitôt
des remords m'envahir.

C'est que le Émile en question est assis dans un fauteuil roulant. Ce qui veut dire qu'il ne peut sûrement pas se déplacer debout.

De plus, il a non pas une, mais **DEUX** jambes dans le plâtre. Qu'est-ce qui a bien pu lui arriver ? Ça ne doit pas être évident de performer sur scène, avec un tel handicap. Léo semble lire dans mes pensées.

Il répond à la question
que je viens de formuler
dans ma tête.

— Il s'est cassé les deux
jambes juste avant
le concours, en faisant
de la planche à roulettes.
Une très mauvaise chute,
il paraît. Mais tu vas voir,
il chante vraiment bien.
Et il est super drôle, en plus.
Bon... je te laisse. Moi,
je dois courir un peu
plus vite si je veux être
assez réchauffé pour
les prochains exercices.

Puis, il me salue d'un geste du menton, avant de reprendre de la vitesse. Moi, je n'en peux tout simplement plus et je commence à ralentir. Un peu trop, d'ailleurs, car je heurte le participant qui me suivait de près.

HEILLE ! FAIS DONC ATTENTION ! ON NE S'ARRÊTE PAS COMME ÇA ! TU VAS PROVOQUER UN ACCIDENT !

Je tourne la tête vers celui qui m'apostrophe de la sorte. C'est un garçon beaucoup trop mignon, malgré son air fâché, avec de drôles de cheveux teints en mauve. Il me regarde d'un air mauvais. Il fait presque peur. Non mais qu'est-ce qu'il me veut, **LUI ?** Je n'ai pas le temps de lui demander qu'il est déjà loin devant moi.

— Occupe-toi pas de lui. C'est le grognon de la gang ! lance une autre voix masculine.

À ma gauche surgit
un adolescent de
ma grandeur à l'air tout
aussi épuisé que moi.
Enfin, quelqu'un de
ma taille ! Il me dépasse
à peine de quelques
centimètres et c'est génial
de ne pas avoir l'impression
d'être une naine au pays
des géants ! Il semble
sympathique et, surtout,
il me parle sans me crier
après, lui. Je lui souris
d'un air gêné en me
présentant, tout en essayant
de garder le rythme.

— Salut, moi, c'est Capucine, toi?

CAPUCINE ?
Quel drôle de nom.
Mais c'est original,
au moins. Moi, c'est
THOMAS. Et lui, le
pas sociable, c'est
WILLIAM. Il est frustré
en permanence, alors
ne fais pas attention à lui.
Dis, t'as pas hâte que
cet échauffement
finisse, toi?

145

– ÇA, TU PEUX LE DIRE ! que je lui réponds, sans pouvoir m'empêcher de glousser.

Enfin, j'ai trouvé quelqu'un qui déteste faire du sport presque autant que moi. C'est avec soulagement que j'entends le sifflet du professeur. Tous les jeunes se rapprochent alors de monsieur Éric, qui est posté au centre de la pièce. Ce dernier nous explique en long et en large la raison des exercices qu'il va nous demander de faire. Ça ne m'intéresse pas du tout, mais je fais semblant de l'écouter, pour ne pas passer pour une paresseuse.

Si mon père me voyait, en ce moment, il rirait bien de moi... Il dit toujours que je ne fais pas assez de sport. Pas ma faute si je préfère lire un bon livre, plutôt que d'aller jouer au soccer avec mes voisins ! Quoique... J'oubliais presque qu'il va pouvoir me voir dans le salon, pas plus tard que

ce soir, quand il va ouvrir
la télévision.

Le cours se prolonge durant
encore deux longues heures.
Puis, monsieur Éric nous
laisse enfin partir, non sans
oublier de nous faire mille
et une recommandations
pour garder la forme.
Pas de chance, nous aurons
des cours de gym tous
les jours de la semaine.
J'ai les muscles si endoloris
d'avoir fait autant
d'exercices et je suis déjà

essoufflée, juste à l'idée que
ça va bientôt recommencer...

Mais maintenant que
le cours est terminé,
direction :

Chapitre

7

Une bonne cachette...

Cette fois, je ne me ferai pas avoir ! Il est hors de question que j'arrive en retard à mon prochain cours ou habillée n'importe comment ! Je suis donc allée me changer. Puis, direction le cours de diction, avec Anton.

D'un pas rapide, je sors de la chambre des filles et me dirige dans le long corridor menant à l'aire principale. Je ne sais pas

trop dans quel local se
donne la leçon, mais je vais
sûrement croiser Henry
quelque part. Il est partout
et il sait tout, celui-là.
Sans compter qu'il est super
gentil. Il m'a aussi dit que
je pouvais venir le voir dès
que j'aurais une question.

Arrivée à l'entrée
du manoir, aucune trace
de notre nounou (comme
le dirait Henry lui-même),
ni de l'horaire des cours,
mais des éclats de voix
me proviennent plutôt

d'un couloir, à ma gauche.
Je crois que la chambre des
garçons se trouve par là-bas.
Qu'est-ce que je fais ?
Est-ce que je prends
la chance d'y aller et de
passer pour une petite fille
perdue ? Ou est-ce que
je m'arrange par moi-même,
comme une grande ?

J'hésite un peu trop
longtemps, car les voix
s'intensifient et je commence
à détecter quelques bribes
de conversation.

– Mais oui, j'te dis,
elle a un œil sur toi !

– OK, arrête avec tes
histoires ! Tu racontes
N'IMPORTE QUOI...

– T'as pas vu comment elle
te regardait ? Elle te dévorait
des yeux ! C'est certain,
t'as une *date*, toi !

– De toute façon, moi,
les p'tites brunettes,
ce n'est pas mon genre,
D'ACCORD ? Alors,
lâche le morceau.

Est-ce qu'ils parlent de moi ? Et sur qui est-ce que j'aurais le béguin, selon eux ? Je n'arrive d'ailleurs pas à reconnaître les voix. Il faut dire que je ne les connais pas bien encore. Et ils racontent n'importe quoi, d'abord ! Je ne suis intéressée par personne, c'est ridicule, toute cette histoire ! Mais qu'est-ce que je fais, maintenant ? Est-ce que je vais les voir pour leur dire qu'ils racontent des stupidités (et avouer, par le fait même, que

je les épiais…)? Ou est-ce que je me trouve une cachette et je m'y terre en attendant qu'ils disparaissent? Sans prendre le temps de réfléchir davantage, je cours me blottir derrière une large colonne, en espérant que personne ne me verra.
Je croise les doigts et j'attends…

Bon, je sais que tu préférerais plutôt attirer l'attention de la belle **EMMA-LOU**, mais que veux-tu, tous les gars ont les yeux sur elle ! Alors, je ne crois pas que tu aies trop de chances avec...

STOP, ÇA SUFFIT ! Laisse-le tranquille. Il te dit qu'il n'est pas intéressé. T'as beau te penser comique, on ne peut pas dire que tes farces soient toujours très drôles !

OK, OK, les gars, NE VOUS FÂCHEZ PAS ! J'ai juste...

HEILLE ! C'EST QUOI ÇA ?

Ça, c'est moi qui n'ai pas pu me retenir d'éternuer. Mais quoi ?!? Je suis allergique à la poussière ! Et de la poussière, derrière cette colonne, il y en a des tonnes ! Comprenant que je ne peux rester là encore longtemps et que je ferais mieux de sortir de ma cachette, je déboule devant les trois garçons qui me regardent, les yeux grands ouverts. J'ai l'air d'une belle idiote, maintenant. Ce n'est vraiment pas ma journée !

SOUPiR X 100...

Émile, assis dans son fauteuil roulant, est le premier à ouvrir la bouche, des sourires aux coins des yeux. Il semble trouver la situation des plus cocasses.

Capucine, **C'EST ÇA ?** Super content de te rencontrer. Tu faisais un peu de ménage ?

– Heu... non, non, je...
je n'ai pas du tout écouté
votre conversation ! C'est
seulement que j'ai entendu...
du bruit venant de derrière
cette colonne. Alors j'ai voulu
voir ce qu'il y avait.

Bon, maintenant, c'est
certain, ils vont **VRAIMENT**
me prendre pour une idiote !
Mais Émile, toujours aussi
souriant, ne peut s'empêcher
de rigoler. Il n'a pas l'air
de se formaliser de ma
maladresse et semble plutôt
amusé par la situation.

À ses côtés se trouvent Léo (celui qui m'a semblé bien sportif lors de notre cours, ce matin) et William (le grognon aux cheveux mauves). Le premier me fait un sourire gêné tandis que le deuxième me lance un regard noir. Lui et moi, c'est vraiment parti du mauvais pied, on dirait !

— OK, et il y avait **QUOI**, finalement ? demande le grognon, en levant les yeux au ciel.

– Ben… je ne sais pas.
Mais je vous le **JURE !**
Il y avait un truc !
En tout cas…

Heureusement, c'est ce
moment que choisit Henry
(OUF !) pour apparaître
comme par magie derrière
nous. Il tient une feuille
dans sa main.

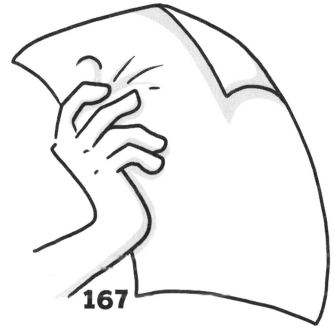

– **OH**, bonjour, les jeunes !
Je suis allé faire quelques
changements à l'horaire.
J'imagine que vous ne saviez
pas trop où vous rendre ?

Il s'approche du babillard
et y fixe la feuille avec de
petites punaises. Puis, il se
tourne vers nous. Personne
ne souffle un mot et Henry
voit bien qu'il y a un malaise.

– **HUM...** Votre cours de
diction aura lieu dans la salle
habituelle. Comme vous n'y
êtes jamais allés, je peux
vous guider, si vous le voulez.
Alors si vous voulez bien
me suivre...

Il nous fait signe de
nous dépêcher d'un petit
hochement de tête. Les
autres se mettent en branle
et passent devant moi, sans
dire un mot. Seul Émile vient
me rejoindre, en me faisant
un clin d'œil. Je m'incline

dans sa direction et lui
murmure ces quelques mots :

— Dis-moi, à qui tu as dit que
j'avais l'œil sur lui ?

— **OH**, ne t'en fais pas pour
ça, ce n'était qu'une blague
pour le faire enrager...
Il est trop coincé, faut l'aider
un peu, me répond-il, sur
le même ton.

— Ouais... mais à qui
tu parlais ? lui dis-je, en
insistant malgré moi.

Il me lance un regard en coin avant de répondre, intrigué par mon entêtement.

– À William. Dis-moi… Est-ce que j'étais dans le champ ?

BIEN SÛR !
VOYONS !
Pff ! William !
TELLEMENT
PAS
mon genre !

Le principal intéressé choisit justement ce moment pour se tourner dans notre direction et nous lancer son fameux regard noir (on commence à le connaître, celui-là). J'avale ma salive de travers, tout en me disant que, vraiment, William est tout l'inverse de ce que je recherche chez un garçon.

AH NON, VRAIMENT !

Moi, je préfère quelqu'un de gentil et de doux.
De toute manière, je ne suis pas ici pour me faire un petit ami, mais plutôt pour remporter ce concours.
Alors il est **HORS DE QUESTION** que je me laisse distraire par une amourette qui ne durerait pas, de toute façon ! Et puis, même si je le voulais, les garçons doivent me trouver trop jeune pour qu'ils me voient autrement que comme le bébé de la gang...

Chapitre 8

Encore un retard

Tout en suivant Henry à travers les couloirs, je prends une résolution. Si je veux que les autres me perçoivent différemment, il faudrait que je commence par agir comme tout le monde !

FINIES, les gaffes et les maladresses. Je vais me reprendre en main. Et ça va débuter pas plus tard **QU'IMMÉDIATEMENT !**

Mais sur ces belles pensées, Henry s'arrête brusquement et je manque de peu de foncer dans William, qui s'est arrêté à son tour. **OUPS...** Puis, Henry nous fait signe d'entrer par la porte ouverte, ce que nous faisons sans discuter. La salle de cours est assez grande et les plafonds, très hauts. Dans un coin, il y a un piano ainsi que certains instruments de musique, dont une guitare et une batterie. Dans le coin opposé, on retrouve des fauteuils qui semblent très confortables. Sur un des murs, il y a un tableau noir avec des craies et, juste à côté, un tableau interactif, un peu comme celui qu'il y a dans ma classe. Heureusement pour moi, je sais comment il fonctionne ; je n'aurai donc pas l'air d'une cruche quand on me demandera de l'utiliser.

Plusieurs jeunes sont confortablement assis dans les fauteuils. Kelly-Ann semble occupée à regarder ce qu'elle tient entre ses mains (sûrement son cellulaire... elle devrait faire plus attention, sinon un adulte va le remarquer) et elle ne prend même pas la peine de relever la tête à notre arrivée. Emma-Lou discute vivement avec Bianca, tout en jouant dans sa chevelure parfaite. Félix, un autre garçon que j'ai à peine croisé durant le cours de gym, est très concentré sur le tableau interactif et ne nous regarde pas non plus, quand nous entrons dans la pièce.

Seul Thomas lève la main
dans notre direction, avec
un air jovial. Mya n'est nulle
part. Ne sachant trop
sur quel pied danser,
je me dirige vers Thomas,
à qui je renvoie son salut.

– **HÉ**, salut Capucine ! Pourquoi tu n'as pas dîné avec nous ? me demande-t-il alors gentiment.

– Eh bien, j'ai préféré aller me changer... Comment elle est, la cafétéria ?

Thomas pouffe de rire avant de répondre.

– La café ? Non, non, tu n'y es pas du tout ! C'est plutôt un restaurant **DIX ÉTOILES !**

– Dix étoiles ! Ça se peut, ça ?
Tu n'exagères pas un peu ?

Non, je te le dis !
C'est super chic.
Il y a plusieurs tables
et on peut manger avec
qui on veut. Et il y a
un menu à la carte.
Sans parler de la bouffe...
MIAM...

Pour mimer son
contentement, il pince
les doigts, les portes
à ses lèvres et les éloigne
rapidement de sa bouche,
tout en ouvrant grand
la main.

— Ah... ben, je verrai ce soir,
pour le souper, lui dis-je,
en haussant les épaules.

— Justement, en parlant
du souper d'aujourd'hui...
Il y aura un invité spécial qui
va manger avec nous. C'est
ce que nous avons appris,

tout à l'heure, par Anton,
dit-il, en pointant justement
celui-ci du menton, tout en
continuant de me parler.
Tu ferais mieux de te joindre
à nous, si tu veux en profiter,
toi aussi !

Un invité **SPÉCIAL ?** Je me
demande bien de qui il peut
s'agir. Mais notre professeur
ne me laisse pas le temps de
m'attarder davantage sur
la question. Il s'approche
de nous et laisse planer
son regard sur chacun des
adolescents. Il remarque
aussitôt qu'il en manque un.
Il fronce alors les sourcils
et sa voix résonne fortement
dans la pièce, pourtant
très grande.

Je n'ai pas le temps
de lui dire que Mya est
absente que cette dernière
franchit la porte, le souffle
court et le front humide.

— Je ne veux pas entendre vos excuses, **MADEMOISELLE !** Mais sachez, et cela s'adresse à tout le monde, que je ne tolérerai aucun retard à mon cours. Cette fois-ci, vous êtes excusée, mais la prochaine fois... Je serai beaucoup moins indulgent.

Tandis que le professeur nous fait son petit sermon, Mya vient me rejoindre et s'écrase sur le fauteuil, en essuyant son front.

Je me penche vers elle, pour lui demander si ça va bien.

– Oui, oui, me chuchote-t-elle en retour. Je ne sais pas pourquoi, mais je n'arrivais pas à ouvrir la porte des toilettes. Je te jure, elle était coincée.

Intriguée, je demande :

– Les toilettes de notre chambre ?

La chose me paraît impossible, puisque j'y ai passé la dernière heure toute seule.

— Non, non, celles juste à côté de la salle à manger. Je ne sais pas ce qui s'est produit. En tout cas, on ne m'y reprendra pas. À l'avenir, je vais utiliser celles de notre chambre, justement !

Je reporte ensuite mon attention sur Anton, qui fait signe à tout le monde de

venir se placer devant
le tableau interactif.
William, qui était assis
avec une guitare, la dépose
et se relève pour venir
prendre place à ma gauche
(le seul endroit encore
disponible).

Émile, pour sa part, se contente de faire rouler son fauteuil tout près de nous. Le professeur nous distribue ensuite à chacun un calepin de notes, dans lequel nous pourrons écrire ce qui nous semble important. Le cours débute ainsi, alors que mon esprit ne peut s'empêcher de vagabonder à des kilomètres de ces techniques de diction. Je regarde partout, à la recherche des caméras. Quelques-unes sont visibles

alors que d'autres,
j'en suis presque certaine,
sont invisibles pour un œil
amateur.

Ce n'est pas ma faute
si le cours m'ennuie...
Comme je pratique le chant
depuis plusieurs années,
ce n'est pas la première
fois que l'on m'enseigne ces
techniques. Au lieu d'écouter
religieusement Anton, mes
pensées se mettent donc à
vagabonder joyeusement et
passent du coq à l'âne.

Toutefois, une réflexion me vient et je n'arrive pas à m'en débarrasser. Cela me chicote malgré moi, mais je trouve vraiment bizarre le fait que Mya soit ainsi restée coincée dans les toilettes.

A-t-elle fait exprès pour arriver en retard **ENCORE UNE FOIS ?**

On dirait presque qu'elle
ne prend pas ce concours à
cœur. Si sa place n'est pas
ici, elle va devoir s'en rendre
compte rapidement, car
la compétition va devenir
de plus en plus difficile...

Chapitre 9

Tout le monde sur son trente-six !

Comme me la décrivait plus tôt Thomas, la salle à manger du manoir est

fa-bu-leu-se !!!

La décoration est tout ce qu'il y a de plus chic ! Des chandeliers sont disposés aux quatre coins de la pièce (immense, bien entendue). Pour l'occasion, les tables ont été rapprochées les unes des autres, de façon à pouvoir discuter avec notre invité mystère, qui ne saurait tarder. Une place lui a été réservée tout au bout de la table. C'est dommage, car je suis complètement à l'autre extrémité.

Je me demande bien qui c'est...

Henry a demandé aux filles de se mettre sur leur trente-six. Kelly-Ann porte une jupe et un chemisier noirs (évidemment).

Mya a fait un effort pour laisser ses vêtements de sport dans son placard et elle a sorti l'artillerie lourde : une magnifique robe avec des souliers à talons hauts ! Elle est tellement grande ainsi, que je dois me tordre le cou pour bien la regarder.

Les deux autres filles,
Bianca et Emma-Lou,
ne sont pas en reste.
La première porte une jupe
longue **TRÈÈÈÈS** moulante
avec une camisole brillante,
tandis que la deuxième
va sûrement éblouir
tous les garçons, avec
sa robe turquoise.

ET MOI...?
BOF...

MAIS NON !
JE RIGOLE !

J'ai apporté plusieurs robes
chics, que je pourrai porter
durant les spectacles et
les représentations.
J'ai donc choisi pour ce soir
une belle robe rouge vif
avec des souliers tout
aussi colorés. Quant à
ma tignasse, j'ai tenté
de la retenir avec une tonne
de barrettes, sans succès.
J'ai donc opté pour un

élastique et du fixatif.
Ça devrait tenir durant
au moins... une heure !
Les garçons ont dû recevoir
la même consigne que
nous, car ils portent à peu
près tous une chemise.
Certains ont même opté
pour la cravate ! Ils sont
d'ailleurs à croquer.
Emma-Lou doit s'être fait
la même remarque, car elle
ne cesse de se trémousser
sur sa chaise, en roulant
des épaules, pour bien
mettre ses charmes
en valeur.

Les places ayant été
assignées à l'avance,
je me retrouve coincée
entre deux garçons que
je ne connais pas beaucoup,
c'est-à-dire Félix (à qui j'ai à
peine dit un mot depuis notre
arrivée ici) et William (qui
s'entête à regarder ailleurs
que dans ma direction).
Heureusement, devant
moi se trouve Mya, assise
entre Thomas et Émile.
J'échangerais bien ma place
contre la sienne, moi...

Une femme rondelette
se tient dans un coin,
les mains derrière le dos.
Elle porte une chemise et
un pantalon blancs, ainsi
qu'un tablier noué à la taille.
Sur sa tête, un petit chapeau
carré de la même couleur que
son accoutrement termine
l'ensemble. Ce doit être la
cuisinière. Elle nous fait
des sourires enjoués, sans
toutefois ouvrir la bouche.

À ses côtés se trouvent Henry et Anton, bien droits dans leurs complets noirs.

Ça discute à voix basse autour de moi, alors que je me contente d'observer les lieux, toujours à la recherche des caméras. Je me demande si ma meilleure amie Clara est en train de regarder l'émission. Je crois que nous sommes exactement à l'heure de diffusion.

J'espère que je n'ai pas eu l'air **TROP TARTE** depuis que je suis arrivée ici.

Pour le moment, les caméras sont tout à fait visibles. En effet, les caméramans sont installés face au couloir, comme s'ils attendaient la venue de quelqu'un. Sûrement notre invité. Je suis impatiente de découvrir de qui il s'agit.

Pour pallier ma hâte,
je pige dans le panier
à pain, juste devant moi.
Ma main frôle alors celle
de mon voisin de droite,
qui a eu la même idée que
moi. William retire aussitôt
la sienne et s'excuse avec
un petit sourire gêné.

C'est bien la première fois
qu'il ne semble pas de
mauvaise humeur, lui.

Je prends donc mon courage
à deux mains pour lui
adresser la parole,
mine de rien :

– Ça va, pas de problème...
C'est long, hein ?

Il tourne légèrement la tête
vers moi, puis baisse les yeux
sur la nappe blanche.

Ouais...
Ah, en passant, je...
je voulais aussi m'excuser
pour mon attitude.
J'étais de mauvaise humeur
depuis mon arrivée ici,
mais ce n'était pas de
ta faute. Je suis toujours
un peu nerveux quand
je ne suis pas dans
mes affaires...

— Oh... pas de problème. Je suis habituée, je fais souvent cet effet-là sur les gens, dis-je avec un sourire et un clin d'œil.

Non mais qu'est-ce qui me prend de vouloir faire ma comique, **MOI ?** Et c'est quoi, ce clin d'œil ?! Mais William n'a pas l'air de me trouver trop stupide, pour une fois, car il esquisse un début de sourire à son tour. Puis, il reporte son attention sur les caméramans qui semblent de plus en plus nerveux. Quelqu'un ne va pas tarder à arriver, ça se sent... Pour combler ma curiosité, je m'adresse de nouveau à William.

— Tu as une petite idée de qui doit venir souper avec nous ?

Mais il n'a pas le temps de me répondre que l'animateur Hugo Magnéto apparaît au bout du couloir, l'air stressé. Il ajuste sa cravate et ne prend même pas la peine de nous saluer, avant d'aller discuter avec les caméramans. Je croise les doigts de toutes mes forces pour que ce ne soit pas **LUI**, notre invité mystère. Je lance un regard à Mya, devant moi. Pas besoin de nous parler pour comprendre que nous avons songé à la même chose. Puis, les événements se précipitent.

Hugo Magnéto rajuste sa cravate à nouveau, dans un geste nerveux, se racle la gorge et s'installe à la fois devant nous et devant les caméras. Et le voilà qui change complètement d'expression. Il devient soudain très jovial et ses yeux se mettent presque à briller d'excitation, alors que, quelques instants auparavant, tout ce qu'on pouvait y lire, c'était la nervosité et l'impatience.

WOW !

LES CAMÉRAS ONT TOUT UN EFFET SUR LUI !

— Bonsoir à tous ! Pour cette première soirée au manoir des **STARS**, nous avons réservé toute une surprise à nos participants ! En effet, vous les verrez bientôt s'étonner de la visite d'une vedette **MYSTÈRE**.

De qui s'agit-il ? Je ne vous en dirai pas plus et je vous laisse sur ces quelques mots. À vous de découvrir son identité en même temps que nos concurrents !! Voici donc, sans plus attendre...

Roulement de tambours. Le silence entre les jeunes est palpable. Puis, nous entendons résonner des coups de talons dans le couloir avant qu'apparaisse devant nous...

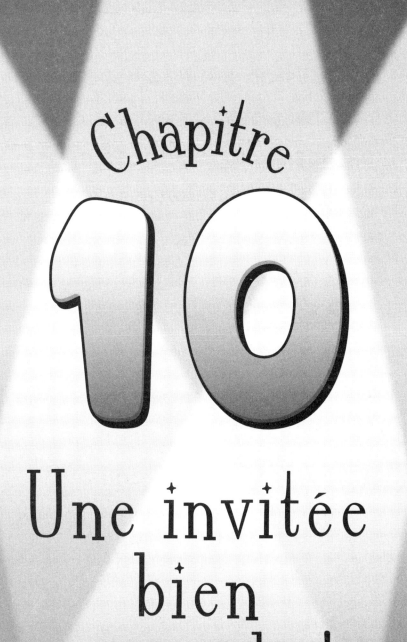

Chapitre 10

Une invitée bien spéciale !

Non !!!

Ce n'est pas vrai !!!

PAS ELLE !?!

C'est… c'est… C'est **MON IDOLE !** Tout simplement ! Je n'arrive pas à y croire ! J'ai le cœur qui palpite et je voudrais crier ma joie, tandis que la vedette s'arrête à quelques pas de notre table, s'incline vers nous et nous gratifie de son plus beau sourire.

ANNIE-AVRIL !!!

Oui, c'est bel et bien **ANNIE-AVRIL** qui se tient là, à quelques mètres seulement de moi ! Je n'en reviens tout simplement pas ! Elle est mon idole depuis que je suis toute petite ! Bon, pas si petite que ça (ou plutôt... oui, aussi petite qu'on puisse l'imaginer...), mais tout

de même, je suis
son parcours depuis
qu'elle est sortie de son
émission de téléréalité !
Et j'ai acheté tous
ses albums ! Pour
moi, qui veux devenir
chanteuse, sa présence
ici est particulièrement
impressionnante.

La chevelure d'un blond cendré d'Annie-Avril est lissée derrière ses oreilles et son maquillage la rend encore plus mystérieuse. Elle est superbe et tandis que je l'admire, je me dis que c'est à elle que je veux ressembler, si je parviens à percer dans ce métier. J'écoute d'une oreille distraite les présentations totalement superflues d'Hugo Magnéto, avant de voir Annie-Avril s'installer au bout de la table. Elle nous

sourit avec grâce, avant de
s'exclamer :

Bon…
arrêtez de me
regarder comme ça…
Ça me met mal à
l'aise, la gang !

Un rire gêné parcourt
la table, alors que nous
nous regardons tous,
abasourdis par sa réplique.
Mais Annie-Avril reprend
aussitôt, captant notre
attention.

Et on va se tutoyer,
D'ACCORD ?
J'ai à peine quelques
années de plus que vous.
Donc... certains ont
sûrement des questions
à me poser ?

229

Le silence envahit la salle.
Un silence fébrile, où chacun
doit bien se demander
comment cette artiste réussit
tout ce qu'elle entreprend.
Je suis la première à lever
la main et le regard
d'Annie-Avril se pose sur
moi, presque soulagé.

– Oui, **TOI**, me dit-elle en
me pointant du doigt.

– Je voulais savoir...

— Non, me coupe-t-elle aussitôt. Dis-moi comment tu t'appelles, avant.

— Je suis enchantée de
te connaître, Capucine.
Et maintenant, tu peux
me poser ta question.

Complètement sous
le choc de ces présentations
non officielles, j'ouvre
de nouveau la bouche pour
poser enfin ma question,
dont j'écoute à peine la
réponse. Je n'en reviens
tout simplement pas :
j'ai rencontré Annie-Avril !
Et elle m'a dit que j'avais
UN JOLI NOM !

IN-CRO-YA-BLE !!!

Mon idole a dit que j'avais
un beau prénom ! D'accord,
je radote... Mais c'est
vraiment la personne la plus
simple et la plus gentille
que j'aie rencontrée depuis
longtemps !

Je tombe dans un tel état
de grâce que j'en perds la
notion du temps. Seul un
coup de coude de mon voisin
de table, alias William,

réussit à me ramener sur terre. C'est déjà terminé. Annie-Avril se lève et nous dit qu'elle a adoré venir souper avec nous. Elle nous souhaite la meilleure des chances pour ce concours et nous annonce qu'elle sera peut-être des nôtres lors du spectacle de dimanche. La soirée a passé si vite. Comme dans un rêve. Mon idole a répondu à toutes nos questions sans se lasser ni s'impatienter. Elle a fait des blagues, elle a ri avec nous et

elle nous a parlé de sa vie.
Elle est comme chacun
d'entre nous, au fond :
tout à fait normale !

Je me tourne vers William
avec un sourire niais et il ne
peut s'empêcher d'éclater
de rire. Ça lui fait vraiment
bien, lui, d'être de bonne
humeur. Il devrait essayer
plus souvent.

Les yeux dans le vague,
je marmonne :

– Elle était parfaite, hein... ?

– **HUM...** Si on aime
le genre, ouais...

Je suis trop heureuse, en ce
moment, pour m'offenser de
sa réponse. Je lui demande
plutôt, intriguée.

— En passant, quel genre
de musique tu chantes, toi ?
Moi, j'adore toutes
les musiques, je crois !
Sauf peut-être le country,
et encore…

— Ouais, ça paraît… Je…
je veux dire que je t'ai
entendue, dimanche.
Tu… tu chantes bien.

— **HEU…** Merci.

— Moi je joue de la guitare. Je veux faire partie d'un groupe. J'écris de la musique, aussi. En tout cas, ça fait longtemps que je m'exerce.

WOW!
Une conversation
COMPLÈTE
avec William !

Quel souper mémorable !
À ce moment, Henry et
Anton s'approchent de
nos tables et nous font
signe que c'est le temps de
regagner nos appartements.
Les autres concurrents se
lèvent, ne pouvant cacher
leur émerveillement. Je fais
un signe de tête à William,
avant de me faufiler derrière
Mya pour me rendre à
notre chambre. Je ne suis
définitivement pas près
d'oublier cette soirée
au manoir.

Tous mes rêves semblent vouloir devenir réalité, soudainement.

C'est le petit coup de pouce dont j'avais besoin pour ne pas penser à mes parents, qui commencent à me manquer. J'espère que, de leur côté aussi, ils s'ennuient de leur fille...

Chapitre

11

Répéter et répéter encore !

éjà mercredi !

La journée d'hier a passé comme un éclair. Entre les cours et les activités de toutes sortes, j'ai à peine eu un peu de temps pour souffler ! Et déjà, les premières auditions pour le spectacle de dimanche doivent avoir lieu ce soir... Aujourd'hui, pas de cours, on se concentre sur notre prestation.

Ils nous ont expliqué rapidement de quelle manière le tout fonctionnerait. Nous devons choisir une chanson à présenter (selon nos goûts) et la répéter un peu durant la journée. Puis, après le souper, chaque participant devra rencontrer les trois juges (encore inconnus) et montrer toute l'étendue de son talent.

Ensuite, les juges noteront les participants selon leur prestation. Les deux jeunes qui auront les notes les plus faibles se feront retirer cinq pour cent sur les votes déjà reçus. J'espère tellement ne pas me retrouver dans cette situation !!!

Puis, dimanche soir aura lieu le spectacle final lors duquel nous apprendrons **QUI** sera la ou le grand gagnant. Ça me rend très nerveuse, car des centaines de milliers de personnes nous regarderont à la télévision !!!

OU-LÀLÀ !

J'ai déjà les jambes
tremblantes, juste
à y penser !

BON, assez d'explications
et de règlements ennuyants,
je dois me concentrer sur
ma propre interprétation !

Je pourrais de nouveau
chanter une de mes
compositions, mais

j'ai décidé que j'allais plutôt me lancer dans une chanson de mon idole : Annie-Avril ! Elle m'a tellement inspirée, lors de son passage au manoir, que j'ai décidé de lui rendre hommage en empruntant un de ses derniers succès. Ma chanson préférée, en fait :

Je ne changerai pas pour toi !

Le rythme est un peu plus rock que ce que je chante habituellement, mais je sens que je peux y arriver.

De notre chambre, je jette un coup d'œil à l'horloge, située juste au-dessus de notre porte, et je sens que mon cœur bat plus vite. C'est que le temps passe si vite ! Déjà seize heures...

— Dis, Capucine, tu viens
faire un tour à l'extérieur ?
me demande Mya, en sortant
des toilettes avec une tenue
confortable.

— Non, non, je... je dois
encore répéter...

— Mais c'est ce que
tu fais depuis ce matin !
Tu n'es même pas sortie
d'ici de toute la journée !
me lance-t-elle en pointant
mon pyjama.

— Oui, mais je ne sais pas...

— **ALLEZ**, une petite pause ne te fera pas de tort. Viens donc, on va être plusieurs à aller marcher un peu, pour faire baisser la pression. Henry a promis de venir nous avertir quand le souper sera prêt.

J'hésite un instant,
puis je baisse les armes.
Mya a raison, après tout.
Si je chante encore une heure
de plus, je n'aurai même plus
de voix pour les auditions.
Et mon prof de chant me
le répète toujours, on
performe beaucoup moins
bien quand on est sous
pression. Me décidant
enfin, je fais signe à Mya
de m'attendre. Je vais me
changer avant de sortir.

À la hâte, j'enlève mon pantalon de pyjama et j'enfile plutôt une paire de shorts en jeans juste assez confortables pour aller à l'extérieur (j'apprends de mes erreurs !) et un chandail blanc tout simple. Je ne prends même pas la peine de peigner mes cheveux, puis je suis Mya dans les couloirs du manoir. Depuis notre arrivée ici, les seules fois où je suis sortie pour admirer le domaine, c'est lorsque nos cours (surtout celui de gym) ont eu lieu à l'extérieur. J'aime bien le soleil, ce n'est pas ça, c'est juste que les moustiques, les bêtes sauvages, l'immensité de l'endroit... Peut-être aussi que j'ai un peu la trouille de me promener toute seule. C'est si grand et on est tellement loin de la « civilisation ».

Je sais, c'est voulu, pour éviter que des journalistes nous retrouvent ou encore que des fans (des fans... **WOW !**) essaient de savoir où nous logeons. Bref, je me sens plus en sécurité à l'intérieur du manoir. Mais cette fois, c'est différent, Mya a dit que nous serions plusieurs à aller nous promener. Pour satisfaire ma curiosité, j'en profite pour lui poser la question.

— Dis, Mya, qui est-ce qu'on va rejoindre ?

Elle réfléchit un instant, avant de me répondre.

— Ben… les filles, Bianca et Emma-Lou. Kelly-Ann et Félix étaient introuvables. Et, pour les autres garçons, heu… Émile a dit qu'il ne pourrait pas se rendre bien bien loin avec son fauteuil roulant, alors il a préféré rester au manoir. Léo sera là, évidemment, ainsi que William et Thomas.

Ah... William sera là.
Je n'arrive pas à dire si
je suis contente ou pas.
L'autre soir, il a été très
gentil, mais depuis,
il m'ignore. Pas que ça
me dérange ! En fait, je me
fiche qu'il soit là ou pas !
POINT FINAL !

Nous nous apprêtons à
sortir du manoir par la porte
arrière, située tout près
des cuisines, lorsque nous
croisons Henry, provenant
d'un autre couloir, qui tient
un thermos dans chaque

main. Celui-ci nous salue,
puis me fait signe d'aller
le voir.

— J'irai te rejoindre dehors
Mya, d'accord ? J'arrive dans
un instant, lui dis-je en me
dirigeant vers Henry.

— Bonjour, mademoiselle
Capucine, voici une boisson
spéciale que vous
a concoctée
la cuisinière.

– **POUR MOI ?** Mais…
elle ne me connaît même pas.
Et je ne lui ai rien demandé…

Il me sourit gentiment, avant
de me tendre le thermos.

– Elle en a fait pour tous
ceux qui ont une voix qui
peut monter très très haut.
C'est-à-dire toi et Bianca.
Il semblerait que ce soit très
bon pour la gorge. Tous les
chanteurs boivent ce genre
de potion, avant de donner

un spectacle. Moi, je n'y connais pas grand-chose, mais il semblerait que ce soit une coutume, dans le métier. Bon, je te laisse, je dois trouver Bianca, maintenant.

Peu convaincue, je saisis tout de même le thermos qu'il me tend, avant de lui proposer :

— Je peux le lui donner, si vous voulez. Elle est dehors, avec les autres.

— Hum... Peux-tu lui dire de venir me rejoindre ici, plutôt ? Et tu devrais peut-être en boire un peu, avant de sortir. Pour que les concurrents ne t'interrogent pas sur ce que c'est...

S'ils ne me voient pas la boire maintenant, ils finiront par le voir à la télévision, lorsqu'ils rentreront chez eux, alors...

Mais Henry secoue vivement
la tête.

Je hoche la tête, perplexe. Ça me semble assez compliqué, toute cette histoire. Je n'ai rien à cacher, après tout. Et je ne crois pas vraiment en l'absolue nécessité de boire un truc **PAREIL !** Je prends tout de même une gorgée ou deux, puis je redonne le thermos à Henry, car cette boisson est vraiment **INFECTE !**

POUACH! DÉGUEU!

QU'EST-CE QU'IL Y A, LÀ-DEDANS ?

— Aucune idée, ce n'est pas moi qui ai préparé cette mixture. Mais comme on le dit souvent : il faut souffrir pour... pour être **BONNE !**

— En tout cas, moi, je n'en veux plus. Je vais aller dire à Bianca de venir vous voir. **À PLUS, HENRY !** lui dis-je en le saluant, avant de tourner les talons pour rejoindre les autres.

Chapitre 12

Deux malades pour le prix d'un...

À l'extérieur, un petit groupe s'est formé près des arbres. Mya sourit à mon arrivée.

— Enfin, **TE VOILÀ !** Qu'est-ce que tu fabriquais, à la fin ? me demande-t-elle, en secouant la tête, ce qui fait bouger sa queue de cheval dans tous les sens. On t'attend depuis au moins cinq minutes.

– Oh, rien de spécial.
Henry avait un truc à
me dire. Et d'ailleurs,
il aimerait voir Bianca.

– **MOI ?** Mais pourquoi ?
s'exclame aussitôt cette
dernière, en haussant
les sourcils.

– Oh, euh... il a un truc à te...
à te donner. Ben... tu verras.

Elle me jette un regard
perplexe, avant d'acquiescer.

— Bon, ne m'attendez pas, j'irai vous rejoindre, OK ? nous lance-t-elle, en se dirigeant vers le manoir.

Sans plus attendre, les garçons se mettent à marcher en direction d'un petit sentier, alors que Mya déambule à mes côtés. Une vilaine toux me secoue en entier, avant de me laisser complètement essoufflée. **BANJO !** J'ai sûrement trop chanté, depuis ce

matin. Cette petite pause
à l'extérieur me fera sans
doute le plus grand bien.

— Je te l'avais bien dit que
tu devrais arrêter un peu de
répéter. Tu uses trop ta voix,
Capucine ! lâche Mya, en me
tapotant le dos, confirmant
mes doutes.

— Elle a raison, tu sais,
ajoute aussitôt William,
qui a cessé de marcher dès
que j'ai commencé à tousser.
Il faut savoir se reposer

aussi. D'ailleurs, c'est plus important que de répéter !

Il recommence à me parler, **LUI ?**

Étonnant, me dis-je, alors que j'arrive à peine à hocher la tête, car j'ai l'impression d'avoir la gorge en feu. J'avale ma salive de peine et de misère. Je me demande même si je serai capable de tenir assez longtemps debout pour les auditions, en soirée. Les autres s'approchent de moi et m'entourent, s'inquiétant de ce qui m'arrive. Ils ne sont pas les seuls ! Je me sens vraiment bizarre et je commence à avoir le vertige.

— Peut-être que je devrais aller m'étendre et dormir un peu, dis-je avec une voix rauque qui n'augure rien de bon.

William propose gentiment
de venir me reconduire et
je finis par accepter, un
peu gênée. Il pose alors sa
main sur ma taille et m'aide
à regagner ma chambre.
Lorsqu'il me relâche, devant
ma porte, je le vois se mordre
les lèvres, hésiter, secouer la
tête. Le voici maintenant qui
rougit, sans trop savoir quoi
dire. Finalement, il tourne
les talons en me saluant à
peine. Alors qu'il s'éloigne
dans le couloir, je l'entends

marmonner tout bas, comme s'il était en colère contre lui-même.

Je voudrais le rattraper pour lui demander ce qu'il a, mais je ne suis pas assez en forme pour cela. D'ailleurs, qu'est-ce qui m'arrive tout à coup ? Ça allait si bien, il y a à peine une heure ! J'ai sûrement trop travaillé... Déçue, j'entre dans la chambre, la mine basse.

278

Je me dépêche donc de m'étendre sur mon lit pour me reposer. Ce n'est qu'à ce moment que je remarque que Bianca dort, couchée dans le sien. Comme elle ronfle légèrement, je n'ose pas la déranger, de peur de la réveiller. Je sombre à mon tour dans un sommeil agité, secouée parfois par une toux bruyante et douloureuse.

Mais est-ce vraiment
moi qui tousse ainsi ?
Ou est-ce plutôt Bianca,
dans son propre lit ?
Je me réveille en sursaut,
comprenant que c'est bel
et bien ma voisine qui
s'époumone de la sorte.
Je me lève et m'approche
de ma compagne de chambre
sur la pointe des pieds.

Hé, ça va,
Bianca ?
Tu as besoin
de quelque
chose ?

Elle tousse de plus belle,
avant de me répondre,
à bout de souffle.

— Non... **EUF, EUF...**
Je ne sais pas ce que j'ai,
mais j'ai la gorge en feu.
EUF, EUF... Je ne pourrai
pas chanter aux auditions...
Comment je vais faire, avec
cette voix ? murmure-t-elle,
d'un ton rauque.

— Voyons, il ne faut pas
te décourager. Repose-toi
encore un peu, peut-être
que ça va passer.

Je constate alors que ma propre voix a retrouvé presque tout son tonus. Soulagée, je ne peux m'empêcher de plaindre Bianca, qui ne sera sûrement pas en état de chanter lorsque son tour viendra. C'est à ce moment que je repense au thermos d'Henry. Sans pouvoir m'en empêcher, je murmure à ma compagne, du bout des lèvres :

— Est-ce que tu as vu Henry, finalement ?

283

– Eh bien, **EUF...** Oui, au complet, lâche-t-elle, en se tournant sur le côté, me signalant ainsi qu'elle n'a plus envie de parler et qu'elle désire se reposer.

Un frisson me parcourt l'échine, tandis que je m'éloigne du lit, les jambes molles. Que faire ? Est-ce que mes soupçons sont fondés, ou est-ce que je suis en train de m'inventer des histoires ? Il faut dire que j'ai vraiment beaucoup d'imagination quand je le veux ! Mais cette fois, c'est **TROP** étrange...

La cuisinière aurait-elle fait exprès pour nous rendre malades, Bianca et moi ? Pourquoi aurait-elle agi de la sorte ? Par chance, je n'ai bu que deux gorgées de sa préparation, ce qui n'est pas le cas de la pauvre Bianca.

Dois-je enquêter sur cette affaire, ou dois-je faire comme si rien de tout cela n'était arrivé et simplement laisser tomber ? Je jette un coup d'œil à l'horloge de la chambre. **OH OH !** Tout ce que je peux faire, pour l'instant, c'est me rendre à mon audition.

Celle-ci débute dans très exactement...

Chapitre

13

Les auditions

– **W**ow !
C'était super, Capucine !
Belle interprétation,
vraiment ! On te félicite.
Tu as su recréer une belle
ambiance. Le ton était juste
et, il faut bien le dire, tu as
une voix magnifique et très
puissante. Surtout si on
se fie à ta petite taille,
sans vouloir être méchant,
me dit le premier juge
en souriant.

C'est un homme à la peau très pâle et à la moustache rousse, mais au sourire avenant et communicatif. Monsieur Roussillon est un des juges principaux du concours.

— Non, ça va. Je sais. Je ne suis pas très grande.

— C'est vrai, ton interprétation était tout en justesse, reprend la deuxième juge. Ça me semble évident que tu as beaucoup répété. Par contre, puisque

l'on doit aussi te trouver
des points à améliorer...
Je te dirais que ça paraissait
que ce n'était pas ton style
de musique. Ton look, ton
habillement général.
Pense à ça, la prochaine
fois que tu décideras
d'interpréter une chanson.
Et, je ne sais pas si c'était
voulu, mais ta voix était
un peu plus rauque qu'à
l'habitude, j'ai raison ?
me demande-t-elle,
indécise.

Oui, c'est vrai.
J'ai la gorge un peu
sèche, aujourd'hui.

HUM...
Repose-la, alors.
Ne parle plus de
la soirée et prends
une boisson chaude,
ça devrait aller
mieux demain.
D'ACCORD ?

Cette femme est très distinguée. Grande et mince, elle porte de hauts talons de presque dix centimètres. J'aimerais bien la voir marcher avec ça... Peut-être qu'elle pourrait me donner des trucs pour ne pas tomber ? Je crois qu'elle s'appelle madame Lapierre.

Je hoche la tête, afin
de lui montrer que je suis
déjà ses conseils et que
je vais m'abstenir d'ouvrir
la bouche.

– **SUPER !** enchaîne
le troisième juge.

Celui-ci est assez jeune.
Je ne me souviens que de
son prénom : Guillaume.
Il n'a pas trente ans, en tout
cas. Il a attaché ses cheveux
en chignon sur le dessus de
sa tête. Intimidée, je rougis
légèrement en le regardant.

— Qui est la prochaine concurrente ? Ah, Bianca. Tu peux lui dire de venir, Capucine ? Nous l'attendons ! lance-t-il avec enthousiasme.

Cette fois, je crois que je n'aurai pas le choix de parler... Je m'apprête à leur expliquer que Bianca ne se porte pas assez bien pour venir faire son numéro, quand la porte s'ouvre et nous dévoile le visage blême de celle-ci.

— Je suis là, lance-t-elle d'une voix éraillée. Je vais m'accompagner de ma guitare. Je ne sais si je pourrai donner mon cent pour cent, car j'ai une extinction de voix, je crois. Mais je vais faire de mon mieux, OK? leur dit-elle, en ayant beaucoup de difficulté à parler.

Je lui cède la place et sors de la salle des auditions, soulagée. Heureusement pour Bianca, elle pourra au moins montrer son talent de guitariste. Et pour l'avoir vue s'exécuter cette semaine, je peux affirmer qu'elle est douée !

Tout en me rendant dans la salle de repos pour rejoindre les autres concurrents, j'ai l'impression de flotter sur mon petit nuage. Dans maximum une demi-heure, nous aurons les résultats des auditions. Plus rien ne peut m'atteindre, pour le moment. Tout a marché comme sur des roulettes ! Je n'ai fait aucune fausse note, je me suis donnée à fond et malgré ma voix légèrement affaiblie, j'ai vraiment pu me laisser aller complètement. Et je crois que j'y suis arrivée ! J'espère que ça a donné le goût aux téléspectateurs de voter pour moi !

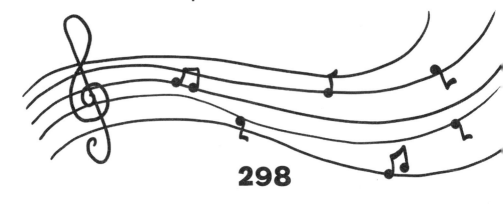

J'entre dans la grande pièce
où la majorité des autres
participants sont déjà assis,
à discuter et à essayer
de faire des prédictions.
Il n'y manque que Bianca.
Dès qu'elle arrivera, je lui
demanderai comment
a été sa performance.
Je souris à ceux qui
remarquent mon arrivée,
puis je vais immédiatement
m'asseoir à côté de Mya,
qui est de très bonne
humeur.

– Et puis, ça a bien été ?
me demande-t-elle aussitôt,
d'une voix fébrile.

– Oui, je crois. Il ne reste que
Bianca à passer et ensuite,
les juges vont délibérer.
Ils étaient sympathiques,
tu ne trouves pas ?

– **OUI !** Surtout Guillaume...
Il est tellement mignon...
J'ai entendu dire qu'il va
nous donner un atelier sur
l'art de la scène, demain.
COOL, HEIN ?

Nous discutons de nos impressions durant au moins dix minutes avant que Bianca ne se pointe le bout du nez, plutôt satisfaite de son interprétation. Je suis heureuse pour elle, mais en même temps, je me demande bien qui aura la plus basse note... L'atmosphère est des plus fébriles lorsqu'Henry ouvre la porte, en portant une large enveloppe.

Le silence se fait peu à peu parmi les concurrents et nous

fixons notre nounou avec les yeux ronds. Je croyais que les juges viendraient annoncer eux-mêmes les résultats. **DOMMAGE...**

La voix d'Henry s'élève dans la grande salle.

Bonjour, les jeunes. J'ai entre les mains **LES RÉSULTATS** des délibérations. C'est moi qui ai la tâche, ingrate ou non, de vous annoncer les notes de chacun d'entre vous. Les juges ont quitté le manoir dès la dernière interprétation. Donc, je vous dirai un à un quel est votre score **SUR DIX**.

Il ouvre alors l'enveloppe et en sort un paquet de feuilles.

Félix se rembrunit et semble très déçu, ce qui est parfaitement compréhensible. Je n'aimerais pas être dans sa situation. Mais Henry enchaîne rapidement, ne nous laissant pas le temps d'encourager ou de réconforter Félix.

Les filles, **MAINTENANT**. Emma-Lou, tu as un... huit. Bianca, un six. Kelly-Ann, un neuf, bravo à toi aussi ! Mya, sept et demi toi aussi. Et... **VOYONS...** je n'ai pas... Bon, un instant, je reviens...

Henry quitte précipitamment la pièce, sans rien ajouter. Nerveuse, je me mords les lèvres. C'est qu'il ne m'a pas encore donné ma note !
Je me ressaisis dès le retour d'Henry dans la pièce, qui me jette un regard peiné, avant de m'apprendre :

Capucine,
les juges ont déjà quitté
et je ne trouve pas ta
note, **TU COMPRENDS ?**
Le règlement du concours
est **CLAIR** : je dois
éliminer ce soir
la participante qui a
la plus basse note.
Je dois donc
tenir pour acquis que
C'EST TOI.
Vraiment,
je suis désolé.

À cet instant, j'ai comme un
vertige et les murs semblent
tourner autour de moi.
Puis, tout devient noir et
je m'effondre par terre...

Chapitre 14

De graves soupçons

C'est avec un mal
de tête intense que j'ouvre
les yeux, pour me rendre
compte qu'une dizaine de
visages, au-dessus de moi,
me fixent avec inquiétude.
Mais le plus effrayant
est sans doute la lentille
de la caméra, à quelques
centimètres seulement
de moi, qui me renvoie
ma propre image.

C'EST QUE J'AI UNE TÊTE QUI FAIT PEUR!

J'ai les cheveux dans tous les sens, les yeux à demi ouverts et la bouche pâteuse... Sans compter que j'ai l'impression d'être devenue sourde et de ne percevoir qu'un étrange bourdonnement. Par bonheur, le son revient peu à peu et je prends conscience de ce qui se passe vraiment autour de moi.

William, tout près de moi, semble très soucieux de mon état. Je tente de me lever, mais il me retient au sol.

– **NON, NE BOUGE PAS !** On doit d'abord s'assurer que tu n'as rien de cassé. Dis-moi, combien tu vois de doigts ? me demande-t-il en agitant le majeur et l'index au-dessus de mon nez.

— Au moins, tu te rappelles mon nom, c'est bien. Tu sais où tu es, en ce moment ?

— Tout ce que je sais, c'est que tu en fais trop. Laisse-moi m'asseoir, lui dis-je.

Il me lâche alors, vexé, mais ne s'en va pas pour autant. Je ne devrais pas lui parler aussi durement. Après tout, rien de tout cela n'est de sa faute. Je lui jette un regard désolé, avant d'observer un peu les autres qui nous entourent. Bianca et Emma-Lou se tiennent les mains et semblent sous le choc, tandis que Mya et Kelly-Ann se sont agenouillées pour être près de moi. Les garçons sont restés en retrait, ne sachant pas comment réagir. Seul William est venu réellement à mon secours. Je lui murmure des remerciements, avant de tendre la main à Mya, qui m'aide à me remettre debout.

Ce n'est qu'à ce moment que je prends réellement conscience des événements qui viennent d'avoir lieu. Je suis celle qui a eu la plus basse note. Je me sens encore très faible, alors je demande à Mya si elle peut m'accompagner à la chambre des filles pour que je puisse me reposer.

En chemin, je me dis que **C'EST TROP INJUSTE**. Je méritais sûrement une très belle note et par la faute des juges, qui ont perdu mon évaluation, je me retrouve bonne dernière ! Je voudrais bien me plaindre à quelqu'un, mais je ne sais pas à qui. La seule chose à faire, c'est continuer à répéter, afin d'offrir une performance exceptionnelle au spectacle de dimanche.

JE SAIS que j'en suis capable ! Et une future star ne se **DÉGONFLE PAS** devant le premier obstacle. **ALLEZ, CAPUCINE,** tu vas montrer à tout le monde la note que tu mérites **VRAIMENT !**

Une fois arrivées dans notre chambre, Mya m'aide à m'étendre sur mon lit, puis elle s'assoit à mes côtés.

Tu sais, Capucine, c'est **TROP INJUSTE** ce qui t'arrive... C'est moi ou Bianca qui devions être en danger, cette semaine, **ET NON TOI**.

— Arrête... Ça ne sert
à rien de penser à ça.
Et je n'ai peut-être pas
eu une si bonne note,
après tout !

— Voyons, tu chantes super
bien ! Tu sais ce que je vais
faire ? Je vais aller voir Henry
et lui dire que c'est moi qui
serai en danger. Je vais
prendre ta place, c'est tout !

Je lui attrape le bras de
justesse, alors qu'elle
s'apprête à se relever.

– MYA ! ATTENDS !

Premièrement, ça ne servira
à rien. Et deuxièmement,
il faudrait que je te parle
d'un truc... Mais avant,
tu dois me jurer que tu ne
riras pas de moi, d'accord ?

– Pourquoi je rirais de toi ?
me demande-t-elle, en
fronçant les sourcils.

— D'abord, peux-tu vérifier qu'il n'y a aucune caméra cachée, dans la chambre ?

— Voyons, tu sais bien qu'ils ne mettraient jamais une caméra ici, car on nous verrait en train de nous changer, me dit-elle en secouant la tête.

— Tu as raison... C'est que j'ai une mauvaise impression, depuis que je suis arrivée ici. D'abord, il y a eu notre retard au cours de gym, lors de notre première journée. Tu t'en souviens ? Henry ne nous avait pas donné les bonnes indications. Puis, c'est toi qui es arrivée après tout le monde, lors du cours de diction. Tu disais que tu t'étais embarrée dans les toilettes...

– C'est vrai ! **JE TE JURE !**
Je n'arrivais plus à sortir !

– Oui, je te crois, justement,
lui dis-je pour la rassurer.

– D'accord, alors où tu veux
en venir ?

– Eh bien, ce n'est pas tout.
On dirait qu'il y a des choses
qui ne tournent pas rond,
au manoir. Chaque fois que
je cherche l'horaire des cours,
il disparaît !

— Ils doivent y apporter des changements de dernière minute, c'est tout..., suppose Mya.

— Qui ça, **« ILS »** ? Qui tire les ficelles, ici ? On ne croise qu'Henry et Anton, dans les couloirs.

Mya se contente de hausser les épaules, ne comprenant pas où je veux en venir avec mes soupçons. Mais je continue sur ma lancée, ne voulant pas en démordre.

IL Y A PIRE. Aujourd'hui, avant d'aller nous promener, nous avons croisé Henry qui m'a donné une boisson, faite par la cuisinière. Supposément pour aider ma voix. Eh bien, ça a eu l'effet inverse, tu comprends ? **J'AI PERDU LA VOIX !** Bianca aussi en a bu, et elle n'a presque pas été capable de chanter lors de son audition !!!

— Alors, tu penses que...

Oui, il y a quelqu'un qui essaie de nous empêcher de performer ! **POURQUOI ?** Je n'en ai aucune idée... Mais maintenant que je me retrouve en danger alors que je ne le mérite sûrement pas, j'ai décidé de mener ma petite enquête ! Est-ce que tu voudrais me donner un coup de main ?

Mon amie me fixe intensément avant de hocher la tête avec détermination.

— Oui, tu as raison, m'approuve Mya.
Si quelqu'un s'amuse à nos dépens, on doit le savoir et surtout l'empêcher de continuer son petit jeu !
Je suis avec toi, Capucine.
Tu n'as qu'à me dire ce que je dois faire.

— **D'ACCORD**, mais il nous faudra l'aide des autres...

— T'inquiète, je m'occupe
de ce dossier, me
rassure-t-elle.

Je soupire un bon coup avant
de lâcher :

— Merci. Pour commencer,
même si c'est contre le
règlement, je vais avoir
besoin... de ton cellulaire !

Chapitre 15

Plan de match

Dès que Mya prend
son cellulaire caché sous
son oreiller, elle me le tend
et je le saisis aussitôt.
Très vite, je compose
le numéro de mon amie
Clara, avant de lui envoyer
un texto.

Besoin de toi.
Urgence !

Capucine ? Je croyais que tu ne pouvais pas apporter ton cellulaire, là-bas. Comment ça se passe??? Raconte-moi tout !

Ça pourrait aller mieux. En fait, je n'écris pas avec mon cellulaire, mais avec celui d'une amie. J'aurais besoin que tu me rendes un GROS service.

Bien sûr.
Tout ce que
tu veux.

Super !
Alors voici ce
qu'il en est.
J'aurais besoin
que tu cherches une
personne, sur Facebook.

 Oh non !
Tu sais bien
que mes
parents
ne veulent pas que
je sois là-dessus avant
mes treize ans.
Désolée, Capucine...

 Banjo... moi
non plus.

Pourquoi as-tu besoin de faire ce genre de recherche, au juste ?

C'est compliqué... Je t'expliquerai à mon retour. Merci quand même. J'ai hâte de te revoir !

Je m'apprête à remettre le cellulaire à Mya, découragée, quand celle-ci, qui a lu mes textos par-dessus mon épaule, me suggère :

— Pourquoi tu ne vas pas voir Félix ?

— Il est sur Facebook, lui ?

— Non, mais c'est un as en informatique. Il pourra faire ta recherche les doigts dans le nez ! Et d'ailleurs, sur qui veux-tu enquêter ?

Je m'approche alors de Mya, pour être certaine que les murs n'aient pas d'oreilles, avant de murmurer le nom de la personne qui me semble suspecte. Mon amie ouvre grand les yeux, avant de hocher la tête. Puis, elle saisit son cellulaire et se met à pianoter sur ce dernier à toute vitesse.

Félix?
Es-tu loin
de la chambre
des filles?
On aurait besoin de
toi en urgence!

Pas tellement.
J'allais
emprunter
le couloir
menant à celle des gars.
Pourquoi?

Viens nous retrouver au plus vite. Et surtout, ne te fais pas remarquer par qui que ce soit !

OK, mais je suis avec Will. Il peut venir, lui aussi ?

 Euh... d'accord. Mais soyez discrets ! C'est super important !

 Ça va, on arrive. Et il n'y a personne dans les couloirs. Les autres sont restés dans la salle de repos.

Elle vient à peine d'envoyer son texto que des coups résonnent à la porte. Mya se lève en vitesse et va ouvrir à Félix et William, qui entrent en coup de vent.

– Bon, j'espère que c'est important, les filles, parce qu'on n'a pas le droit d'être ici, comme vous le savez.

On a fait le plus vite possible, puisque ça semblait urgent. Qu'est-ce qui se passe ?

Mya me jette un coup d'œil, avant de se lancer dans les explications que je viens à peine de lui donner. Plus elle parle, plus Félix hoche la tête, imité par William, qui me lance des regards à chaque nouvelle information qu'elle leur donne. Lorsqu'elle termine enfin, Félix s'écrie :

VOUS SAVEZ QUOI ?
Le pire, c'est que je doute
VRAIMENT d'avoir eu
une si mauvaise note,
lors des auditions. Léo m'a
dit qu'il avait eu mal au
ventre, pendant la sienne,
et qu'il ne l'avait même
pas terminée. C'est trop
bizarre... Bref, je suis avec
vous, les filles ! **VOUS
POUVEZ COMPTER
SUR MOI.**

— Même chose pour moi,
ajoute William.

— **GÉNIAL !** Alors dans
ce cas, Félix, on aimerait
vraiment que tu fasses
quelques recherches. Si c'est
dans tes cordes, lui dis-je,
hésitante.

— **PAS DE PROBLÈME !**
En plus, j'ai une petite idée
par où je vais commencer.
Dès que j'ai du nouveau,
je vous tiens au courant.
Ça vous va ?

— Ouais et moi, je vais aviser les autres de faire attention à eux, ajoute William.

Là-dessus, les deux garçons sortent de notre chambre, après avoir bien vérifié que personne ne nous épiait, du couloir. Une fois seule avec Mya, je m'étends les bras en croix sur mon matelas, éreintée par les événements de la journée.

Je sens que les prochains jours seront tout aussi épuisants...

Chapitre 16

Un spectacle haut en couleur !

Trois jours à répéter,
encore et encore ! Je sens
que je ne peux pas être
mieux préparée pour ma
performance de ce soir.
Je vais pouvoir montrer
à tous ce que j'ai dans
le ventre !

Avec Mya et les autres
participants, nous avons
établi une stratégie pour
démasquer la personne
qui s'amuse à nos dépens.
La seule information
qu'il nous manque,

c'est pourquoi cette dernière agit ainsi. Quelles sont ses motivations ? Mais je crois que Félix en sait plus qu'il ne le dit, car il vient de nous envoyer un texto pour nous dire de nous tenir prêts. Que ce soir, nous saurons tout.

Pour le moment, je dois me concentrer sur la chanson que j'ai choisi d'interpréter. Je me suis fiée aux commentaires des juges pour bien la choisir, cette fois. Je vais chanter quelque chose qui me ressemble davantage et qui met mes talents en valeur.

UNE BALLADE...

Oui, je suis une romantique finie, alors aussi bien l'assumer jusqu'au bout, non ?

Dans quelques minutes à peine, la limousine viendra nous chercher pour nous emmener à la salle où a lieu le spectacle. Ma tenue pour ce soir est emballée dans un énorme sac en plastique noir, que je sers contre moi, par nervosité. À côté de chacun d'entre nous, il y a nos valises.

C'est un départ pour nous tous. Dans ce manoir, nous avons vécu de beaux moments et je sens que nous ne les oublierons jamais. Mais il est temps de montrer de quoi nous sommes capables !

Les deux limousines arrivent enfin et tandis que les filles s'engouffrent dans l'une et que les garçons empruntent l'autre, je sens une main frôler la mienne. En me tournant pour voir de qui il s'agit, je fige. William

se tient devant moi,
l'air nerveux. Il piétine,
recommence à se mordre les
joues et à ne pas trop savoir
comment se tenir. Aussi mal
à l'aise que lui, j'attends
qu'il ouvre la bouche, ce
qu'il ne se décide toujours
pas à faire.

VOYONS !

On ne finira
donc jamais
par se
parler ?!
Mais avant
même

de pouvoir se dire quoi que ce soit, Henry arrive derrière nous et nous pousse chacun en direction de notre limousine.

Je me laisse choir sur mon siège et fixe le paysage qui commence à défiler devant mes yeux. Cette fois, il fait jour durant le trajet, et je remarque les pancartes indiquant la distance à parcourir. Le manoir est vraiment situé dans un coin perdu...

— Capucine, qu'est-ce que tu vas interpréter, ce soir ? me demande Mya.

— En fait, c'est une chanson que j'ai écrite avec mon père, quand j'étais plus jeune. C'est une ballade intitulée :

Pour que tu me voies telle que je suis.

C'est une chanson sur le fait de s'accepter comme on est. Petite, grande, maladroite ou pas. Bref, c'est une chanson sur moi...

Mya n'est pas la seule à sourire à mon explication. Les autres filles aussi. Pendant le reste du trajet, nous discutons chacune de nos choix musicaux, ce qui fait passer le voyage beaucoup plus rapidement.

Lorsque la limousine s'arrête enfin, je sens la nervosité m'envahir. La porte s'ouvre et on nous invite à en sortir, afin de nous rendre dans nos loges. En chemin, nous croisons l'animateur Hugo Magnéto, qui nous salue à peine, trop occupé à se faire poudrer le bout du nez. D'un mouvement de la tête, j'encourage Mya, puis je me dirige vers l'endroit où la coiffeuse et la maquilleuse m'attendent. Mais cette fois, il est hors de question que je les laisse me donner l'air

d'un clown ! Non, je veux
rester **MOI-MÊME !**
Je ne veux pas avoir
les yeux aussi fardés
qu'une star de cinéma !
Je m'aime au naturel !

Je me sauve donc dans les
toilettes attenantes à ma
loge, pour y enfiler ma tenue
(des pantalons confortables,
cette fois, avec un chandail
affichant une étoile).
Avec ça, je ne risque pas
de montrer mes fesses
sur scène !

Dès ma sortie des toilettes, la coiffeuse me tombe dessus et je dois me battre bec et ongles pour qu'elle ne lisse pas mes cheveux comme la semaine dernière. Découragée, elle accepte donc de les remonter en une queue de cheval à la mode, avec quelques petites mèches qui retombent dans le cou et sur les tempes.

OUAIS... PAS MAL DU TOUT, FINALEMENT !

Une technicienne vient m'avertir que le spectacle va bientôt débuter. Comme j'effectue ma prestation en première partie, je dois me dépêcher de me rendre près de la scène. J'ai les mains moites et la gorge sèche, alors je réclame un verre d'eau au premier technicien que je croise, espérant qu'il me l'apportera rapidement. J'entends les applaudissements de la foule qui acclame l'animateur.

MEEEEEESDAMES ET MEEEEEESSIEURS ! Je vous souhaite la **BIENVENUE** parmi nous ! Je remarque que nous avons ici ce soir des spectateurs **FIDÈLES !**

Hugo Magnéto crie en se promenant sur la scène, les bras ouverts.

Je perds le fil de ce qu'il raconte lorsque quelqu'un me tend un verre d'eau, que j'avale d'un trait, en essayant de ne pas renverser une goutte sur moi. Mais entendre mon nom crié ainsi dans le micro me fait sursauter et j'arrose malencontreusement le bas de mon pantalon. Bon, du calme, Capucine, personne ne le remarquera ! Là, c'est ton tour, tu dois aller chanter !

Je m'avance lentement
sur la scène, tandis que
la musique fait entendre
la mélodie composée par mon
père. Je prends une bonne
respiration, puis j'ouvre
la bouche, propulsant ainsi
les premières notes de
cette superbe chanson...

Et mon interprétation tout
en douceur atteint chacun
des spectateurs, assis dans
la salle. Pas un murmure ne
me provient, alors que je
termine en montant la note
haut, très haut... Je m'arrête
enfin, le souffle court, les
joues rouges et les larmes
aux yeux. C'est que cette
chanson me rappelle mes
parents, dont je m'ennuie
énormément. Je tente
de me ressaisir, lorsque
les applaudissements
résonnent dans la salle.

372

Je souris alors de toutes mes dents, le cœur en joie.

Hugo Magnéto s'approche de moi pour me féliciter et m'invite à céder ma place au prochain candidat, mais je lui fais un geste de la main, pour qu'il m'écoute. Ça n'a pas l'air de faire son bonheur, mais je m'en fiche. Voici le moment tant redouté. Le silence se fait dans la salle, alors que je commence à parler.

MERCI.

Voilà, je voulais remercier tous les organisateurs de ce concours, en particulier les gens qui se sont **SI** bien occupés de nous, au manoir. Si vous me le permettez, j'aimerais que **TOUS** les téléspectateurs puissent voir de qui il s'agit. Ils devraient être dans les coulisses. Serait-il possible de les inviter sur scène ?

374

— Eh bien, heu..., balbutie Hugo Magnéto, en fronçant les sourcils. C'est que ce n'est pas dans le programme, ça.

— Ça ne prendra que quelques minutes. J'inviterais donc messieurs Henry et Anton à venir nous rejoindre ! Ainsi que tous les autres participants !

Ça me demande beaucoup de courage pour parler ainsi devant autant de monde. Mon regard croise alors celui de Félix, qui hoche

la tête en montant sur
la scène, ainsi que celui
de William, qui me fait
un clin d'œil, et je reprends
confiance. Oui, tout
va bien aller !

À ce moment, les autres
concurrents s'approchent et
m'entourent. Anton et Henry
sont poussés par nulle autre
que Mya ! Ils ne s'attendaient
certainement pas à ça !
Kelly-Ann saisit alors mon
micro et prend la parole
à son tour.

BONJOUR À TOUS !
Je m'appelle Kelly-Ann.
Enfin, je pense que vous
me connaissez un peu,
hein ? Eh bien voici,
nous tenions à remercier
nos deux nounous qui nous
ont suivis et aidés dès
que nous en manifestions
le besoin. En particulier
HENRY, qui s'est occupé
des filles et qui a toujours
été là... **N'EST-CE PAS ?**

La lumière se fait sur Henry, qui affiche un air surpris et mal à l'aise. Puis, c'est au tour d'Emma-Lou de prendre le micro et de s'adresser aux téléspectateurs.

Oui, tu as tout à fait raison. Henry a été le premier à prendre en charge les horaires des cours en... les faisant **DISPARAÎTRE** sans arrêt !

Ou en nous indiquant la **MAUVAISE** direction pour nous rendre à nos cours !

BIEN DIT ! Il a aussi pris un plaisir fou à m'embarrer dans les toilettes, m'empêchant ainsi d'arriver à l'heure à mon cours.

380

La lumière est toujours braquée sur Henry, qui montre des signes évidents d'agitation. Il tente d'ailleurs de se faufiler par un des côtés de la scène, mais il est vite intercepté par un technicien.

DE PLUS, c'est à cause de lui si j'ai eu une si mauvaise note lors des auditions, car il a fait disparaître **MON ÉVALUATION!** Voilà! Vous aurez compris qu'une personne malhonnête s'est infiltrée parmi nous, afin de nous mener la vie dure. Je ne connais pas ses motivations, mais je sais que cette personne devra très bientôt nous expliquer pourquoi elle a agi ainsi, **N'EST-CE PAS, HENRY?**

Ce dernier tente de repousser le technicien qui lui bloque encore le chemin, ainsi qu'Anton, tout près de lui. Ça s'échauffe autour du suspect. Personne ne veut le laisser partir avant qu'il se soit expliqué. Mais tout ce qu'on parvient à entendre, à travers le brouhaha, ce sont les cris d'Henry qui clame son innocence.

Des hommes arrivent alors des coulisses pour le maîtriser, et le font descendre de la scène.

Un silence de mort tombe dans la salle, pendant que je vois les techniciens à la régie qui se tapent presque la tête sur les murs, désespérés. Mais Hugo Magnéto, en spécialiste du showbusiness, ne tarde pas à réagir, voyant que le silence perdure.

Vous êtes **CERTAINS** de ce que vous avancez, **LES JEUNES?**

Nous répondons en chœur,
à travers le même micro.

— Dans ce cas, nous allons
tout de suite mener notre
petite enquête sur cette
personne. Nous vous
remercions d'avoir dévoilé
au grand jour cette histoire.

Comme vous le voyez,
il se passe bien des choses,
au manoir des STARS,
et c'est pourquoi je vous
invite à vous inscrire sur
notre site Internet, pour
connaître tous les détails
des péripéties qu'ont vécues
nos participants. Sur ce,
applaudissez bien fort
Capucine ! Vous pourrez
voter tout à l'heure pour
lui donner la note qu'elle
mérite ! Merci, Capucine !
Un autre concurrent
doit encore chanter !

Il nous fait alors signe de quitter la scène, ce que nous faisons sans demander notre reste. D'avoir à dénoncer ainsi notre nounou m'a mis dans tous mes états et, fidèle à moi-même, je ne manque pas de m'enfarger dans le bas de mon pantalon mouillé et de m'étaler de tout mon long !

Il y a décidément des choses qui ne changeront jamais...

Un épilogue tout en textos

Je m'ennuie trop de vous, la gang !!!

Même chose pour moi !!! Mais ce n'est pas notre faute si tu fais la tournée du Québec avec tes chansons ! C'est la rançon de la gloire !!!

Vous étiez tous super bons.
Si j'ai gagné, c'est seulement par quelques points. Ça aurait été cool qu'on fasse la tournée tout le monde ensemble...

Tu as amplement mérité ta victoire !

En tout cas,
le spectacle
était trop
génial !

Ça, c'est
bien vrai !
J'aurais passé
une autre
semaine
dans le manoir sans
aucun problème !

Même avec Henry comme nounou ?

Ah non... peut-être pas.

D'ailleurs, vous savez ce qu'il est devenu, celui-là ?

Kelly-Ann

Félix a promis de nous dire ce qu'il avait trouvé sur Henry.

Bianca

C'est vrai, ça. Youhou, Félix ! Explique-nous ce qu'il en est.

Il est en camp de vacances. Il ne peut pas répondre, car il n'a pas le droit d'apporter son cellulaire, là-bas.

Comme si ça allait l'en empêcher...

En effet.
Et de toute
manière,
Félix n'a pas
besoin de cellulaire pour
communiquer avec nous.
Il n'a qu'à emprunter
l'ordi de n'importe qui.

Bon, alors
je répète :
FÉLIX !
On veut
de tes nouvelles !!!

Moi je vous le dis, il ne peut pas nous répondre...

Bon, bon, bon... On me demande ?

Félix !!! Te voilà ! Allez, on veut savoir ce que tu as trouvé sur Henry !

 **Félix** OK, mais tenez-vous bien. Pendant que j'étais au manoir, j'ai fouillé dans le tableau interactif qu'il y avait dans la classe de diction. Et j'ai découvert qu'Henry était en fait...

 **Thomas** Un vampire !

399

Franchement...

Un loup-garou !

Les gars, vous êtes pénibles !

 Mais non, franchement. J'ai trouvé des articles écrits par lui dans une revue à potins. Autrement dit, il est journaliste et il était là seulement pour être aux premières loges afin d'écrire des choses sur nous. Sauf que, comme nous étions sages comme des images...

Bon, n'exagère pas, quand même !

Bref, comme il n'y avait aucun drame dans le manoir, il a décidé d'en créer de toutes pièces !

Wow... Je ne me serais jamais imaginé ça. En tout cas, je vous laisse, le souper est prêt.

Et moi je m'en vais au cinéma avec des copines !

Dont moi ! LOL

Pas de
trouble,
je n'ai pas
le droit

d'être sur mon cell.
Je dois vous laisser
moi aussi.

Ah, ah !
Je vous l'avais
bien dit !

Ouais, ouais...
Quelqu'un a
des nouvelles
de Léo ?

Lui aussi, il est dans un camp. Mais un camp sportif. Et je le répète, lui non plus n'a pas le droit d'utiliser son cellulaire !

Bon, alors j'y vais, moi aussi ! On se jase un autre jour !

Moi je m'en vais jouer au basket avec mon frère.

Tu n'avais pas les deux jambes dans le plâtre, toi ?

On me les a enlevés hier ! Ciao, la gang !

Bon, dans ce cas, moi aussi je vais y aller. Tu m'appelles demain, Capucine ?

Sans faute ! Bye !

Euh... William ? Tu es toujours là ?

 **William**

Ouais...
c'est que...
je...
Je voulais
te demander si...
Ben... Est-ce que tu
sortirais avec moi ?

 **Capucine**

OUI !!!
J'avais
tellement
hâte que
tu me le demandes !!!

 **Bianca** : Ouais, s'ils croient qu'on ne se rend compte de rien...

 **Félix** : Faut dire qu'ils ne sont pas subtils, à s'envoyer des textos sur notre groupe.

Bon, on les laisse tranquilles?

Ils sont déjà partis, de toute manière.

Ouais, ça en devenait carrément gênant.

 **Kelly-Ann**

Espèces
de jaloux !

 **Capucine**

Hé ! Vous étiez
supposés être
partis !!!

 **Félix**

Ah, une
dernière
chose...

Concernant le trophée de participation qu'on doit se partager, il est rendu chez qui ?

Lâche ton cell ! Tu vas te faire punir ! Et je crois que c'est William qui a le trophée. Je ne l'ai même pas encore eu...

 **William** En effet, il est chez moi. Ne t'en fais pas, je te l'apporterai dès qu'on se verra...

 **Capucine** Oh ! Banjo de banjo, c'est super !

Fin

AS-TU AIMÉ CE ROMAN ?

Dessine !

DÉCOUVRE L'AUTRE ROMAN DE LA SÉRIE...